Eliana Alves Cruz

ÁGUA DE BARRELA

7ª edição

Eliana Alves Cruz

ÁGUA DE BARRELA

malê

Copyright © 2018 Editora Malê Todos os direitos reservados.
ISBN 978-85-92736-40-8

Capa: Bruno Pimentel Francisco

Editoração: Agnaldo Ferreira

Editor: Vagner Amaro

Revisão: Léia Coelho

Fotos: Casa do engenho Nossa Senhora da Natividade. Foto: Arquivo da cidade de São Félix. Pedro, irmão de Adônis; Damiana, em 1911, aos 23 anos; Damiana e João Paulo, em 1915. Fotos: Rodolpho Lindemann; Fio de contas de Xangô que pertenceu a Martha e Boneca de porcelana de Nunu. Foto: Eliana Alves Cruz;

*Livro vencedor do Prêmio Oliveira Silveira, da Fundação Palmares, em 2015.

Texto revisado segundo o novo Acordo Ortográfico da Língua Portuguesa. Proibida a reprodução, no todo, ou em parte, através de quaisquer meios. Dados internacionais de catalogação na publicação (CIP) Vagner Amaro CRB-7/5224

L938p	Cruz, Eliana Alves
	Água de barrela / Eliana Alves Cruz. –
	Rio de Janeiro: Malê, 2018.
	322 p.; 23 cm
	ISBN 978-85-92736-40-8
	1. Romance brasileiro II. Título
	CDD – B869-3

Índice para catálogo sistemático: Romance brasileiro B869.3

Todos os direitos reservados à Malê Editora e Produtora Cultural Ltda.
www.editoramale.com.br
contato@editoramale.com.br

Damiana

Pedro, irmão de Adônis

Damiana e João Paulo

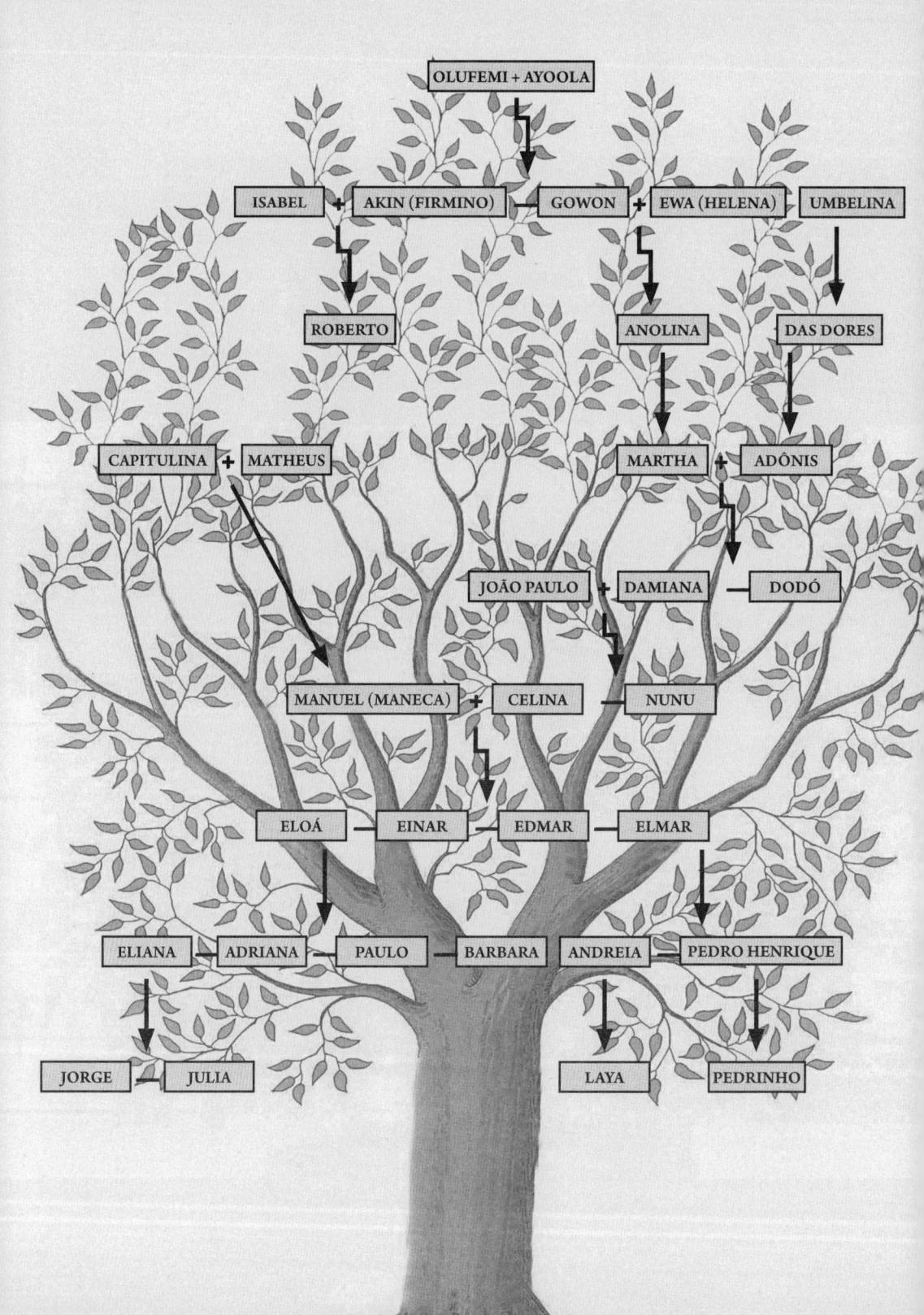

Sumário

Martha e Adônis

Introdução
Um dia qualquer no engenho Nossa Senhora da Natividade 13
Um século 15

Primeira parte 17
Ferro em brasa na memória 19
Uma canção no novo mundo 27
Os reis do massapê 33
A rainha e o rei 37
Moendo a cana, o corpo e a alma 45
O ceifeiro implacável 51
A escrava e a mulher do feitor 55
Nobreza em branco e preto 61
A rainha, o rei e a morte 65
A família 67
Pedro de Alcântara João Carlos Leopoldo Salvador Bibiano
Francisco Xavier de Paula Leocádio Miguel Gabriel Rafael Gonzaga -
Dom Pedro II, o Magnânimo 75
Voluntários da Pátria 83
Brinquedos humanos 87
Batalhas 93
Reencontros 99

Segunda parte 105
Raios no céu, tormenta na terra 106
Martha: um rio e vários sonhos 109
Anolina: com um olho fechado e o outro aberto 117

Adônis, lutas, letras e liberdade 123
Brinde com taça cheia de lágrimas 131
Despedidas 143
Os lugares certos 147
"O rei está morto. Longa vida ao rei!" Viva a República! 151

Terceira parte 161
O curso incessante do tempo e os segredos insepultos 163
Kabiyesi Xangô, kawo kabiyesi Xangô Obá Kossô
(Vamos todos ver e saudar Xangô, Rei de Kosô) 167
O guerreiro termina, mas não a guerra 173
Se essa rua fosse minha 179
"Matrimônio, matrimônio… Isso é lá com Santo Antônio!" 185
Explosões 197
Retroceder para avançar 207

Damiana e João Paulo
Sonhos e planos 211
Carestia de vida, João Paulo e a enchente 223
Mulheres de lá, mulheres de cá 229
A menina estranha 237
A loucura e o tempo 245
Revoluções 251
Capilogência 257
Destemidas 263
A cegueira do amor 269
Rio de Janeiro e as bodas em cacos 275
O dito e feito da moça de Savé 285
Diga adeus, Marthinha 289
A justiça é nossa estrada 295
Destinos 303
Sobre como este livro aconteceu 307

Nota da Autora

Não queremos mais aquilo que embranquece a negra maneira de ser
Não queremos mais o lento e constante apagamento da cor de terra
 molhada, suada, encantada...
Queremos os remendos dos panos, nas tramas dos anos
sofridos, amados...
E acima de tudo,
apaixonadamente vividos.

Um dia qualquer no engenho Nossa Senhora da Natividade

Depois de tirar toda aquela roupa dos caldeirões com o alvejante, Isabel, Umbelina e Dasdô, cantando sambas de rodas numa mistura mágica de português com nagô, ewe e outras línguas d'África, acomodaram tudo em balaios e se puseram na parte de trás do sobrado, a estender uma a uma as peças muito alvas no extenso varal e no gramado. Na varanda atrás da cozinha, Cecília pilava milho. Risos misturados com os cantos e com o cheiro de limpeza. O sol estava fervendo e a roupa secaria cheirosa, alva e brilhante...

Um século

Sentada na cadeira de rodas, ela olhava toda aquela gente ao seu redor. Não estava acostumada a ser o centro das atenções. Tambores, pandeiros, cantos, danças, farta comida, cheiro de rosas no ar... Suas pernas já não aguentavam o peso do corpo, seus braços não tinham mais a famosa firmeza e o coração — ah, o coração! — este acelerava ante a visão de tanta brancura.

Seus olhos também já não eram os mesmos, mas registravam muito bem o brilho das roupas imaculadas que a circundavam naquele dia de festa. Aqueles moços e moças que ali estavam, certamente, nunca tinham visto uma barrela — aquela água com cinzas de madeira que se colocava na rouparia para branqueá-la. Agora é tudo na máquina, batido com sabão em pó e ponto final. Antigamente, lavar roupa era um longo processo artesanal. Primeiro se esfregava e batia-se bem; depois era colocar um pouco no molho da água de barrela, enxaguar mais e pôr no sol para quarar. Quando os panos secavam, entrava em ação o pesado ferro de engomar, que deslizava em cima do tecido com algumas gotas de água de cheiro. Vinco por vinco. Gola por gola. Pronto. Tudo limpo. Tudo perfumado. Tudo branco.

No fundo, ela achava que o que se queria mesmo era que tudo fosse mergulhado nessa água que branqueia: As roupas, as vidas, as pessoas... Todos mergulhados na água de barrela. Riu intimamente, imaginando a cena. Cem anos... Não entendia por que comemoravam com aquela explosão de alegria alguém que durou tanto. Olhava-se no espelho e não gostava de se ver tão velha, apesar de ter a pele surpreendentemente viçosa para alguém que estava prestes a soprar cem velas.

A idade lhe parecia uma prisão em que a cada dia fechavam mais um cadeado nas grades da vida já tão limitada. Não se queixava. Tinha valido a pena atravessar o século. Tinha valido a pena guerrear. Tinha valido a pena, só para ver tanta claridade! Afinal, parecia que todas as lixívias que alvejaram as brancas roupas que lavara dos muitos brancos senhores por toda a vida se reuniram nas vestes dos que marcavam ali o seu centenário.

Noite e dia no "vapt-vupt" da água e sabão. Sem lamentos, sem perda de tempo com a tristeza. Apenas barrela, água, sabão, ferro de engomar, trouxas, varal cheio de tecido ao vento e os cobres que ajudaram a sobreviver e a manter aquela família que agora ali estava vestida de branco.

Em pequenos intervalos, fechava os olhos sorrindo. Podia mesmo sentir o cheiro de sabão misturado ao de cocada no tacho, ao odor do pé de araçá no quintal... Por instantes, conseguia sentir a sensação das mãos molhadas e enrugadas.

Uma fina ironia. De quem teria sido aquela ideia de vestir todos de branco? Gostara bastante, pois as peles negras faziam um belo contraste. Preto e branco... Tinha vivido intensamente esse mundo bicolor. Finalmente o cansaço chegara. Quanto tempo mais ainda teria?

Era o dia 27 de setembro de 1988. Cem anos antes, nascia Damiana, na cidade de Cachoeira, no Recôncavo Baiano. Quatro meses e quatorze dias após a promulgação da Lei Áurea.

Martha e Adônis
Primeira Parte

A janela do pequeno apartamento tremia. Dona Anolina, a tia Nunu, embora nada enxergasse sentada na cama, olhava na direção do céu, que de cinza ia passando a negro.

— "Vai chover muito… Estou aqui olhando os trovões, escutando os raios e lembrando a história que mãe me contou. Nela tinha uma peleja igual a essa, igual a essa briga do trovão que eu vejo e do raio que eu escuto".

Ferro em brasa na memória

Firmino, na verdade, Akin Sangokunle (Xangocunlé), se recordava muito bem de tudo desde o dia em que fora obrigado a caminhar por dias de Iseyin, pequena região do reino de Oió, no oeste africano, em direção à Fortaleza de São João Baptista de Ajudá, até aquele momento de sua vida, em 1888, quando estava finalmente liberto. O ano era 1849 e contava nove anos quando foi empurrado com brutalidade para dentro daquele barco grande. Podia sentir ainda o coração gelado pelo pavor e raiva que o dominaram naquele momento.

O tráfico de escravos da África para o Brasil já estava proibido, mas quem é que cumpria tal lei? Os ingleses forçaram a situação aprovando neste ano a *Bill Aberdeen*, mas o engraçado é que, embora as autoridades dissessem que queriam ver o tráfico extinto, o comércio de escravizados ainda era um dos negócios mais lucrativos para a esmagadora maioria, inclusive para eles próprios. Viviam em uma guerra eterna. O reino de Oió dos Iorubás já não era nem de longe tão poderoso quanto fora um dia, e as batalhas internas sem fim tornavam a vida um perigo. Foi um furacão. Akin não teve tempo de fugir quando os fulani invadiram, destruindo tudo no caminho.

O povo fulani batia no peito para dizer que estava conquistando terras para Maomé, mas Akin sempre ouvia seu pai — Olufemi — dizer que era *dapọ ìgbàgbọ pẹlu isowo* ou "mistura de fé com comércio". Ele sabia muito bem o que era isso, afinal estavam em Oió, reino que também caçou escravos por séculos, com seus temidos guerreiros e seu poderoso exército montado. Os fulani praticavam a religião do Profeta e ocupavam a terra Bornu, Nupe e Hauçá, mais ao norte de Iseyin, onde a crença muçulmana também era professada. Seu pai contava que não fazia muito tempo que o general Afonjá, de Ilorin, se rebelou contra o império de Oió com a ajuda do líder local fulani — chamado Shehu Alimi — e de escravizados bornus, nupes e hauçás. Afonjá foi assassinado e Abdusalami — o filho de Shehu Alimi — subiu ao poder e fez de Illorin um emirado. Começaram então a invadir cidades de Oió para ter territórios ou escravos. Conquistariam um dos dois ou ambos.

Olufemi era um bom orador e contava isso tudo com tantas cores e detalhes que deixava a ele e aos meninos do povoado fascinados pelas histórias. Tentava entreter as crianças, mas sobretudo alertar para o fato de que não estavam seguros. Estavam espremidos entre Ilorin, que subitamente se tornou o principal ponto do mercado de almas, e os jêjes do Daomé, que também viviam à caça. Como bom negociante, seu pai transitava por todos os lados e ficava sempre sabendo das últimas notícias, agradando a um e a outro para se equilibrar naquela tensa e fina corda que era a política da região.

Apesar de tudo, Akin gostava de conversar com alguns hauçás. Isso acontecia devido às rotas de comércio e feiras por onde andava com Olufemi, que inclusive tinha alguns fregueses fixos, e o filho aprendeu algo de matemática e um pouco da escrita com um deles, o velho senhor Daren. Ele sempre contratava seu pai para domar cavalos, fazer e colocar os acessórios nos bichos, pois era muito bom nisso. A família deles tinha um elo com os hauçás. O talento com os cavalos foi aprendido com escravos desta etnia incorporados à poderosa cavalaria de Oió há muitos e muitos anos. Essa ligação, juntamente com a habilidade de negociação de Olufemi, era o que os estava salvando até aquele momento. Um século antes, com o declínio do poderoso reino e da cidade de Oió, membros da família subiram cerca de 30 quilômetros e se fixaram em Iseyn. Ele nunca soube bem o motivo, pois a cidade, embora ficasse próxima a uma frondosa vegetação, estava praticamente colada nos jêjes de Savé, no Daomé, com quem os iorubás viviam às turras. Anos depois, ele refletiria que talvez fosse por isso mesmo. Depois de séculos guerreando em cima de cavalos, não sabiam mais viver se não houvesse algum perigo por perto.

O pai e o hauçá apenas conversavam quando estavam completamente a sós, mas ele, Akin, o mais novo dos cinco filhos, geralmente estava em volta dos dois, brincando ou observando e tentando aprender o ofício. Seu pai se chamava Olufemi ou "Deus me ama" e Akin pensava ser um nome muito apropriado, pois não tinha quem não o amasse, e Deus não seria exceção. Ele sabia que o pai o achava agraciado com alguma sorte especial e o carregava para todo lado, ensinando os segredos de suas muitas habilidades.

O senhor Daren dizia que uns homens brancos estavam ajudando a armar fortemente os fulani e que estes estavam cada vez mais metidos numa coisa chamada *Jihad*. Fechava os olhos quando falava nisso e balançava a cabeça negativamente, dizendo que tinha muito medo do que ainda estava por acontecer. Não concordava muito com a forma como as coisas estavam sendo conduzidas e temia por sua vida e pela de muitos. Akin não imaginava que aquela guerra santa invadiria em breve tantas cidades iorubás. Não escapariam Ketu, Kuwo, Ogbomosho, Ikoyi e até a grande Oyo-Ile.

Um mês antes da noite que consideraria para sempre a pior e mais tenebrosa de sua vida, ele caminhou com o pai e o irmão mais velho, Gowon, até um povoado chamado Ado-Awaye — uma pequena aldeia como muitas que já vira. Crianças seminuas brincando nas ruas, mulheres pilando alimento e cozinhando em seus fornos de pedra, homens em incessantes atividades de caça e cultivo. Saíram com o céu ainda escuro e quando o sol raiou estavam aos pés da maior, mais linda e imponente montanha que Akin jamais vira. Era a Oke-Ado. Um monte de granito dominador da paisagem ao redor e que se erguia majestoso no vilarejo.

Com aquele dom que só ele possuía para contar histórias, Olufemi ia relatando aos dois filhos os mitos e mistérios em torno da montanha Oke-Ado. O pai contou aos jovens que era sagrada e que espíritos a guardavam. Falou que no topo existia um lago chamado *Iyake* em que homem nenhum podia entrar, pois ele estava ligado a outro mundo semelhante ao nosso e todos os que se aventuravam a nadar eram puxados para essa outra dimensão. Disse ainda que o adivinho Ifá, o senhor do destino, saiu da cidade de Ifé e peregrinou por vários locais, se fixando em Ado-Awaye por um longo tempo. No alto daquela montanha, ele dizia, existem suas pegadas impressas na pedra. Akin arregalou os olhos e mal podia esperar para ver tudo aquilo.

Gowon estava recém-casado com Ẹwà Oluwa, uma linda moça vinda de Ketu, e uma das missões da viagem estava buscar um pouco de água do lindo lago suspenso *Iyake*. Garantiam que as mulheres que desta água bebessem nunca seriam inférteis. Começaram a escalar a pedra íngreme lentamente, como que saboreando o local pelos pés. A primeira parte da subida certamente foi a mais árdua e íngreme, quase tirando todo o ar dos viajantes. Olufemi, Gowon e Akin pegaram cajados para se apoiar, mas sentiram que valeu a pena o esforço quando se depararam com a primeira maravilha: a rocha *Ishage* — um pedregulho imenso na parte de cima, mas que se afinava na base e parecia se sustentar sem apoio algum. A *Ishage* estava à beira de um precipício e nunca tombava nele. Não se movia um milímetro. Seu pai atou um pano branco na circunferência da pedra, como que vestindo-a, e ajoelhou-se. Pediu que fizessem o mesmo, agradecendo por suas vidas até aquele momento.

Continuaram a caminhada que, passada a primeira parte, pareceu bem menos penosa. Viram vários lagos, pedras cobertas de musgo de um verde intenso, uma vegetação exuberante e colorida. A cada passo para cima, a paisagem embaixo ficava mais impressionante. Pararam para uma refeição preparada de véspera por Ẹwà Oluwa e pela mãe deles, Ayoola. Animado com a excursão, Olufemi falava sem parar, contando que a população de Ado-Awaye subiu para viver naquelas montanhas para se proteger dos inimigos nas incontáveis guerras com os do Daomé. Contou que conseguiam se defender rolando pedras em cima dos invasores ou preparando em grandes quantidades uma sopa viscosa que jogavam nas pedras, tornando-as escorregadias demais e impossíveis de serem escaladas.

Após o lanche, prosseguiram com o passeio, até que uma hora depois do início da jornada estavam no topo. Em pé mirando ao redor, os três ficaram longos minutos em silêncio. Uma muda oração pelo belo que os cercava. Não queriam quebrar com palavras a paz que o lugar emanava. O verde, as pedras, o lago, a paisagem em que podiam ver aldeias e vilarejos misturados com a vegetação. Era possível ver muito longe os contornos do que seria a cidade de Ibadan. Depois que alertou mais uma vez aos meninos que não entrassem no lago, Olufemi liberou-os para explorar o local juntos. Foi um dia com o irmão Gowon que Akin jamais esqueceria e essa memória sempre iria surgir quando a vida lhe parecesse demasiadamente dura. Recolheram plantas, viram animais diferentes por entre as pedras, atiraram pedrinhas no lago, subiram em árvores para ver ainda mais além.

Depois de muito circularem pela região, viram o pai sentado e muito concentrado, em um platô cheio de furos que pareciam pegadas impressas na pedra. Estavam na Ese *awon Agba*, nas "Pegadas dos Ancestrais". Desceram correndo, empolgados. Aquele era o local sobre o qual o pai falou antes de subirem, que estava ligado a Ifá. Estancaram ante uma visão que nunca tiveram: lágrimas no rosto de Olufemi. Desconversou dizendo que era um lugar muito emocionante para ele, pois além da presença de Ifá, em meio a todas aquelas pedreiras, ele também sentia a proximidade com o patrono de sua família, Xangô. Tranquilizou-os e aparentemente voltou ao seu costumeiro falatório, mostrando todas as "pegadas" e contando mais histórias. Comeram o que restou do lanche e começaram a descida para retornar à casa, mas o patriarca não era o mesmo. Algo o preocupava como nunca. Sabiam que podia consultar o jogo de Ifá. Teria ele consultado? Teria visto algo?

Pouco mais de um mês passou quando homens entraram na cidade levantando poeira, envoltos em suas largas túnicas brancas, protegidos por seus grandes turbantes, incendiando e passando muita gente no fio da espada. Naquele dia fatídico, Akin estava fora de casa, desobedecendo ao pai, ainda contando vantagens aos amigos sobre a recente excursão a Ado-Awaye e já imaginando o castigo que receberia, quando ouviu o tropel dos cavalos, os gritos, e viu as lâminas derramando sangue... Olhos arregalados, ele correu na direção de casa escondendo-se pelos cantos. Vendo os lindos animais montados pelos fulani, distraiu-se pensando em quantos daqueles não poderiam estar usando coisas feitas pelo seu próprio pai. Esse pequeno atraso lhe salvou a vida, pois do alto de seus equinos negros e marrons, guerreiros portando tochas arremessaram-nas no pequeno conjunto de casas que reunia os membros de sua família, seu *agbo-ilê*. Desesperado, conseguiu ajudar seu irmão mais velho, Gowon, e sua mulher, Ẹwà Oluwa, acenando do esconderijo onde estava. Na pressa para escapar e ajudar a esposa, Gowon perfurou profundamente a perna direita em um ferro pontiagudo entre as ferramentas do pai. Logo em seguida, os fulani cercaram a terra num círculo, ficando entre eles e as casas. Não conseguiram tirar mais ninguém da vila. Viram todo o clã sucumbir em meio às chamas.

As lágrimas dos dois não tiveram tempo de rolar pela face, e os gritos de Ẹwà Oluwa nem chegaram a ecoar. Foram capturados, amarrados e obrigados a segui-los numa exaustiva jornada. Três dias depois, os fulani os venderam para traficantes do Daomé, que se juntaram com homens que Akin achou "pelo avesso", pois tinham a pele muito clara e avermelhada. Ele nunca tinha visto brancos e os achou repulsivos. Ele lembrava que seu pai sempre conversava com o senhor Daren sobre isso. Ouvia-o dizendo que ser escravo era o pior que poderia acontecer em qualquer parte, pois a pessoa perdia a raiz, a família e vivia nos piores lugares. Eles não tinham muita certeza do que acontecia com os negros capturados para venda aos brancos. O tráfico existia há muitos séculos, mas muita gente ainda dizia que eram devorados... "Seria isso?", pensou Akin. "Serviriam de comida?!".

Os brancos vinham com outros negros amarrados, e o grupo todo levou quinze dias de caminhada para percorrer um percurso que em condições normais poderia acontecer em cerca de três ou quatro dias. Os homens do Daomé fizeram um caminho por cima atravessando a terra deles, onde havia vários pontos já marcados e combinados com conhecidos para as paradas, passando pelas cidades de Savé e Allada. A marcha para o porto de São João da Ajuda, o famoso porto de Agudá ou Uidá, como muitos chamavam, era num passo lento, com uma fila de acorrentados pelo pescoço que volta e meia parava para algum castigo, alguma morte ou algum drama, como o que aconteceu com Gowon.

A ferida, que já saiu de Iseyin com mau aspecto, piorava a cada passo e na metade da jornada já estava apodrecida e exalando um odor fétido. Numa das poucas paradas, Gowon ardendo em febre sussurrou para Akin: "Não vou aguentar. Cuida dela. Tem alguém nosso dentro dela". Akin se surpreendeu e não pôde deixar de pensar que a água do lago suspenso *Iyake* era mesmo poderosa. Logo em seguida, Gowon começou a não poder dar nem mais um passo sem gritar de dor, atrasando a caravana. O chefe da tropa não teve dúvidas: desceu do cavalo, examinou a ferida e, contrariado por perder uma "peça" tão valiosa, o executou cortando sua garganta, como Akin tantas vezes viu o pai ou a mãe fazerem com animais para rituais, para alimentar a família ou ambos. Fechou os olhos, tentando a todo custo sufocar a dor, pois se a deixasse sair poderia ser também sua sentença de morte, e alguma coisa dentro dele dizia que não queria e, mais que isso, não podia morrer.

A esposa de Gowon, Ẹwà Oluwa, ao contrário, caiu num choro estridente e num desespero contagiante. Foi imediatamente esbofeteada. Ẹwà Oluwa honrava o nome que tinha, que significava "beleza de Deus". Ela e Gowon tinham se casado há pouco mais de dois meses numa festa alegre, cheia de vida e com muitas danças e promessas. Ela era de Ketu e a união foi parte de um arranjo feito por seu pai com a família dela, em suas andanças comerciais. Decidiram juntar a família e às forças trocando armamentos, víveres e artefatos para resistir aos constantes conflitos e períodos de escassez.

Ẹwà Oluwa possuía o encanto natural de jovem na flor da idade. Ia de cabeça baixa, remoendo a ferida da perna do amado que se transferira para dentro do seu peito. Os chefes da expedição, na primeira chance trataram de "se servir dela", um por vez, ao longo do trajeto. Seria difícil para Akin tirar a recordação dolorosa da mente e a raiva do coração devido às lágrimas derramadas pela moça na primeira vez que um dos vigias do grupo, um mestiço, lhe apertou os seios como se estivesse testando o frescor de uma fruta na banca de um mercado. Ele a libertou das correntes e a levou para o leito do rio, à frente de todos. Ele, Akin, sentiu um desespero gigante e inédito sobretudo porque prometera ao irmão mais velho fazer tudo para olhar por ela.

O passo ia se tornando pesado e a pressão para que andassem mais rápido também. O menino Akin olhava para os pretos que faziam parte da turma de seguranças da expedição com um ódio não disfarçado, o que era motivo de diversão para eles e lhe valeu tapas, socos e pontapés. Os prisioneiros eram cerca de 40, quase todos muitos jovens ou crianças. Quando finalmente chegaram, nunca tinham visto nada sequer parecido com a Fortaleza de Uidá. Não puderam conter suas expressões de assombro.

Foram atirados em um galpão apinhado de gente de todas as partes, em um local próximo à fortaleza. Para todos os efeitos, o tráfico estava proibido. Era uma Babel negra que não sabiam que existia cheirando a fezes, urina e a outros dejetos. O lugar tinha a pior comida provada por eles em suas vidas, mas podia ser considerado um aposento de luxo se comparado à embarcação que os faria singrar os mares por um tempo que não conseguiram medir em direção a um destino incerto e definitivo. Ao contrário do período legal do comércio de escravos, em que os traficantes tinham um cuidado ainda que mínimo com a "carga" para não perdê-la antes de chegar ao destino, agora valia qualquer coisa. O que viesse era lucro.

Depois de uma espera no depósito parecida com a eternidade, foram acordados no meio da noite e caminharam cerca de dois quilômetros até o embarque. Akin olhou ligeiramente para trás. Esta seria a última imagem daquele continente que sua retina registraria. Um vento levantava redemoinhos de folhas secas. Olhou para o alto das palmeiras iluminadas pela lua e sentiu o peito apertar. Todas as lembranças da infância em Iseyin vieram como numa única tela, que entendeu ser preciso apagar ao menos momentaneamente se não quisesse morrer. Embora esta última ideia, a de morte, já não lhe parecesse tão má assim.

A morte era uma das passageiras naquela travessia, que ficava mais tenebrosa a cada sopro do vento nas velas. Ela lhe sorria, flertava e o convidava para o seu banquete. Até que se tornou uma irmã siamesa quando o fizeram conviver acorrentado a um cadáver por três dias. Esse foi o saldo de uma tentativa de rebelião terminada com oito negros jogados ao mar para os tubarões e um tempo incontável sem ver a luz do sol. Ele era ainda uma criança e não participara da revolta que fez dois mortos entre os tripulantes do navio, mas disse algo em iorubá que soou como xingamento aos oficiais. E realmente era. Deixaram um dos feridos acorrentado junto a ele para que aprendesse. Estava com um ferimento grande na cabeça, vários cortes pelo corpo e sua respiração foi ficando cada vez mais fraca ao longo do dia seguinte, até que à noite ele percebeu que o homem estava imóvel e não respirava mais. Os cativos ficaram sem comida o dia todo como castigo e só perceberam que havia um cadáver no porão muito tempo depois. A medida surtiu efeito, pois era impossível pensar em algo com a fome e aquele corpo mutilado e pútrido como companhia. Ao cabo de três dias, finalmente o jogaram ao mar, para que não trouxesse mais doenças à já combalida mercadoria.

  Ainda em solo africano, depois da degola de Gowon, arrastaram o corpo morto para um canto e no movimento ficou muito perto dele, misturado numa poça de sangue, o fio de contas que o irmão levava para onde quer que fosse: Xangô... Já era fim da tarde e decidiram parar ali mesmo para o descanso. Quando a escuridão caiu, Akin foi fazendo pequenos movimentos até conseguir alcançar o colar com os pés e puxá-lo até suas mãos. O nome de sua família — Sangokunle, que poderia ser traduzido livremente para "aquele que se ajoelha para Xangô" — honrava a divindade poderosa da justiça, dos trovões. Ele não haveria de faltar justo agora. Não sabia se podia ou se devia ficar com aquele objeto sagrado, mas era a única coisa que lhe restou e foi segurando firmemente o fio durante toda a interminável e macabra viagem que reuniu forças para conseguir chegar até a manhã em que sentiu um alvoroço em cima, no convés. Um dos marujos gritando algo incompreensível pra dentro do porão o fez entender que finalmente estavam próximos da terra firme.

  Passados dois dias de aproximação com a gigante extensão de costa, levaram todos para o convés, jogaram baldes de água gelada em cima e lhes deram uma porção um pouco mais generosa de um mingau grosso e sem gosto. Subiu a bordo um homem vestido de negro até os pés falando palavras estranhas e salpicando água em cada um deles. Foi dizendo seus novos nomes. Ele sabia que Akin Sangokunle era o mesmo que "menino corajoso que luta pelo que quer e se ajoelha diante de Xangô". Firmino... O que significaria?

Uma canção no novo mundo

Quando Akin e Ẹwà Oluwa se aproximaram da costa brasileira, em 1850, viram apenas uma linha ao longe. Passaram cerca de 50 dias no mar, com o veleiro "Boa Ventura" fazendo outras rotas para se esconder da vigilância que cercava os navios de tráfico ilegal para a Bahia. Era fácil identificar a presença de um "tumbeiro", pois o cheiro pestilento corria com o vento e os tubarões o seguiam, já sabendo que encontrariam carne fresca. Os ingleses caçavam os negreiros e se os encontrassem apreendiam a "carga" e prendiam a tripulação. Entre agosto de 1845 e maio de 1851, foram abordadas, apreendidas e destruídas, pela Marinha real britânica, 368 embarcações que faziam tráfico de escravos para o Brasil, muitas em águas territoriais brasileiras[1]. Depois de tanto tempo singrando os mares, lançaram âncoras próximos a uma praia aparentemente desabitada e foram levados ao convés para serem lavados e acostumados à claridade. Não conseguiam precisar quando foi a última vez que isso aconteceu durante a viagem, mas sabiam que já fazia bastante tempo.

Um homem vestido de negro a quem chamavam de "padre" foi passando a fila em revista e molhando cada um com a água que pegava dentro de uma pequena cabaça prateada. Ele dizia palavras estranhas e, pelo que entenderam, estava lhes dando novos nomes. Atrás do homem de negro, vinha outro que parecia um assistente. Um jovem com "aquele cabelo de branco" que Akin achava horrível e cortado de uma maneira estranha. O rapaz não parava de olhar para ele. Seus olhos tinham um "não sei o quê" parecido com a forma como aquele traficante olhou para Ẹwà Oluwa na caminhada até o forte... Parecia impressionado com a figura do garoto alto para a idade, imponente e altivo, mesmo depois de tão dura travessia. O rapazola cochichou algo no ouvido do padre. Este sorriu e decretou: "Firmino". Só muitos anos mais tarde, também por um padre, saberia que o nome vem do latim e significa "firme, constante, vigoroso"... Mas também era o nome de um bárbaro que enfrentou o Império Romano com um exército de negros mouros. Akin olhou para Ẹwà Oluwa e soletrou para ela, sem emitir som, o próprio nome, e ela, na fila das mulheres,

---
[1] Almeida, Paulo Roberto de. Formação da diplomacia econômica no Brasil. São Paulo: SENAC, 2001. P. 322.

fez a mesma coisa. Assim firmaram um pacto de que não usariam outros nomes entre eles.

Estavam alquebrados, com chagas, muito magros e vários bem doentes. Os 250 que embarcaram foram reduzidos a 200 na chegada. Passaram muito tempo deitados ou sentados, no escuro, acorrentados uns aos outros, suportando a pestilência do lugar insalubre. Além da rebelião, uma diarreia se encarregou de levar muita gente para o fundo do oceano. Ẹwà Oluwa teve muita sorte, muita proteção ou ambos, porque perto dela ficou uma moça de Savé, no Daomé, que assim como Akin a protegeu quando percebeu o seu estado. Agora não importavam muito as desavenças entre os povos. Estavam todos literalmente no mesmo barco. Mais do que a comida e a água repartida, foram suas palavras que funcionaram como mágica: "Luta, pois a vida nova substitui a vida velha. A criança vai tirar do teu corpo o que tens de melhor para vir ao mundo e se não lutares ela vive e tu... Mas aqui a chance de as duas irem para o fundo do mar é muito grande".

A doença que matou mais da metade da "carga" teve ao menos um efeito prático benéfico: aumentou o espaço no porão e um pouco a quantidade da ração. Tomavam também uma caldo de limão, que os traficantes há séculos descobriram ser fundamental para o combate ao escorbuto, doença provocada pela ausência de vitamina C e que causa hemorragia das mucosas. Depois da rebelião e com as mortes pela epidemia, os homens do navio passaram a fazer uma ronda mais frequente no porão, jogando água do mar, retirando as pessoas de tempos em tempos para passar creolina no local e deixando a porta que dava para o convés aberta em alguns momentos. Estas simples medidas fizeram a diferença entre a vida e morte para Akin, para Nimachi e para mais alguém que ainda estava por vir. E assim, apesar de dormirem em cima das próprias fezes respirando um ar contaminado e comendo uma ração que cavalos recusariam, conseguiram enfim chegar.

Akin podia ver que Ẹwà Oluwa não passava bem. Não era para menos: ela vomitava sem parar. A pouca comida, ele dava um jeito de dar uma parte da sua porção para ela, pois as dificuldades já provavam a admirável resistência física que o distinguiria sempre. Ele mesmo não sabia o que o manteve de pé até aquele momento. No fundo, ele sabia, sim, o que mantinha sua respiração e apertava entre as mãos o fio de contas no pescoço.

Depois do breve período na praia desabitada, voltaram ao navio e no dia seguinte desembarcaram à noite, passaram a barcos menores e desceram na Praia-do-Chega-Nego². A essa altura, já não era tão fácil desembarcar escravos vindos da África. Ninguém respeitava a lei, mas também não se podia facilitar. Quando pisou na areia da praia, Firmino sentiu uma energia forte. Agarrou-se com o fio de contas, fechou os olhos e falou em voz muito baixa:

— "Xangô é rei, está pisando aqui comigo e cedo ou tarde a justiça se fará".

Foram para a Casa de Pedra, um depósito e mercado clandestino de escravos que as autoridades fingiam não ver. Comeram um pouco melhor e mais vezes durante o dia. Ẹwà Oluwa continuou estranha, mas quando as portas se abriram quase 20 dias depois e entraram vários homens brancos e alguns mulatos, ela tinha adquirido um novo aspecto e retomado grande parte da sua beleza que chamava a atenção. Estava entrando no quarto mês de gestação. A barriga ainda não estava tão grande; apenas um pouco saliente. Ele pensava que era alguma magia ou milagre ela ter sobrevivido. Pensou várias vezes que fosse morrer.

Como era praxe, passaram óleo de palma em seus corpos e friccionaram seus dentes com algumas raízes que os deixavam com aspecto melhor e colocaram punhados de resina no ânus dos que ainda apresentavam algum sintoma de diarreia. Ele e ela estavam na categoria dos "moleques" (8 a 14 anos). Akin foi separado junto com outros jovens por um homem de baixa estatura, mas enérgico. O homenzinho botou todos em fila, mandou seu capataz acorrentar, acertou suas contas com o mercador e já estava quase na saída quando um canto triste e doce tomou conta do ambiente. Ẹwà Oluwa cantava triste pela partida do amigo e por todas as perdas até ali. Só ele sabia que aquela canção era por ele e fez muita força para segurar a emoção. Ela estava se arriscando a apanhar mais, a ser duramente forçada a se calar. As palavras tocavam fundo, mesmo em quem não entendia uma letra que fosse. O homenzinho rodou nos calcanhares, foi até a menina e examinou-a atentamente, dirigiu-se ao contador e agregou Ẹwà Oluwa ao grupo. Assim, com esse "encantamento" jogado por ela, os dois rodaram um longo tempo num carro de bois e foram parar no Recôncavo Baiano, um lugar rico e, para eles, selvagem.

---

² No atual bairro da Pituba, era um dos maiores pontos de chegada de negros trazidos da África, servindo para o desembarque clandestino de escravos durante o período em que o tráfico oficial foi proibido. Os escravos eram depositados numa senzala construída à beira da praia até serem comercializados. Este lugar era conhecido como Casa de Pedra, na Avenida Otavio Mangabeira.

O carro terminou sua viagem em Cachoeira, uma cidade cortada por um caudaloso rio chamado Paraguaçu e que muitos anos depois teria uma das margens como a cidade de São Félix e a região onde desembarcaram como o município de Muritiba. Naquele momento, no entanto, era tudo Cachoeira. Desceram em um majestoso engenho chamado Natividade, e a sensação era a de que estavam em um reino estranho a tudo o que podiam imaginar. Ao serem perfilados para a inspeção do feitor-mor, e da senhora dona Joanna da Natividade, Ẹwà Oluwa, agora chamada Helena, foi imediatamente separada para a casa-grande, e Firmino, para trabalhar com outros meninos em serviços no engenho. Não era comum que uma escrava recém-chegada d'África fosse trabalhar no sobrado, mas a família era imensa, recebia muitos convidados, as três mulheres da cozinha e da arrumação precisavam de mais gente e a sinhá — dona Joanna — não queria ninguém da senzala dentro de sua casa. A chegada da mocinha veio a calhar.

Na espaçosa cozinha do sobrado, Helena foi entregue a Umbelina, Dasdô e Cecília. Para a menina, as primeiras eram o céu e a terceira o inferno. As duas primeiras eram ainda moças. Cecília era a mais velha do grupo. Umbelina e Dasdô eram mãe e filha e falavam sua língua. Descobriu que Umbelina vinha de Ketu como ela, tinha conhecimentos amplos da religião, que cultuava em segredo no engenho e que até conheciam pessoas em comum na África. Ficaram amigas e Helena lhe contou sobre o amado Gowon, sobre o ataque, o incêndio, como foram apresados e o que aconteceu até chegarem ali. Falou tudo, menos sobre a gravidez.

Umbelina teve a filha quando era quase uma criança, com 12 anos, e parece que ganhou este nome — o mesmo de uma das filhas de sinhá Joanna — por uma confusão do feitor, pois quando a africana chegou, a sinhazinha tinha falecido recentemente, deixando dois filhos. Todos falavam nela e o homem bruto entendeu que era para batizá-la com este nome. Isto custou o emprego do feitor, sem direito a nenhum pagamento, mas a sinhá achou que era um sinal divino e a pôs para trabalhar dentro do sobrado, pois não poderia ter uma escrava com o nome de sua filha no canavial ou na plantação de fumo.

Estar na casa-grande era um privilégio na visão da maioria, mas Helena não demonstrava gratidão por esta "sorte". Percebeu que todo e qualquer serviço, por mais ínfimo que fosse, era deles. Os brancos não se mexiam para nada. Eram chamadas para absolutamente tudo — desde mover um copo de cima da mesa para as mãos do senhor até pilar o milho ou a mandioca para fazer farinha. Um trabalho sem fim e sem descanso, temperado com caprichos os mais bizarros e, por vários momentos, cruéis. Ela rangia entre dentes o tempo todo e mal conseguia conter a raiva que sentia por estar separada de Akin/ Firmino. Tinham sido capturados juntos, passaram os momentos mais árduos juntos e se sentia sozinha sem o menino que era sua única família, seu único elo com o clã que tanto amou.

Por seu lado, apesar de nunca ter acreditado totalmente na história do canibalismo, mas depois que teve certeza absoluta que não seriam mesmo comidos, Firmino estava chocado. Na África, um escravo não era aquilo. Trabalhava muito, certamente, mas não era o responsável exclusivo por todas as tarefas de uma propriedade, e a pessoa poderia escapar dessa condição se casasse com alguém da família — os senhores eram obrigados a aceitar —, e os filhos dos escravos não seriam mais escravos. A terra pertencia a um grupo e era sagrada. Para ele, aqueles brancos não sabiam como tratá-la, como acarinhá-la e extrair dela o que tinha de melhor. Nunca faziam as oferendas e só reverenciavam a uma cruz e umas imagens que ficavam dentro de uma casinha branca perto da casa dos senhores, em cerimônias oficiadas por sacerdotes parecidos com aqueles que viram na chegada.

O ar de "lamento eterno" de Helena irritava Cecília, o que era perigoso, pois ela estava sempre à procura de uma maneira de cair nas graças da senhora com informações "úteis", mas o estado de ânimo da moça provocava um sentimento de piedade e urgência em Dasdô e Umbelina. As duas conheciam do que era capaz sinhá Joanna. Como podia ser mais fria que um sapo na hora de executar um castigo! Um dia, puxaram a moleca a um canto e falaram energicamente, em bom e claro idioma iorubá:

— É hora de parar de reclamar e falar direito a língua deles. Se quiser viver e esquecer um pouco os dramas, se pegue com o trabalho e chega disso, Helena. Filha, isso é uma questão de viver ou morrer — disse Umbelina.

Nesse dia, Umbelina notou que o ventre da jovem estava bastante aumentado embaixo da bata larga de algodão que recebera na chegada. Cinco meses depois, em uma tarde de chuva fininha, Helena deu à luz uma menina e fechou os olhos para abri-los para sempre nos campos de Iseyin ao lado de

Gowon Sangokunle. O parto foi o esforço final que conseguiu empregar depois de tudo o que passou para chegar ali. Ela se empenhou ao máximo para seguir os conselhos das novas amigas, mas nos dias finais da gravidez, sentia como se o corpo apenas caminhasse pela terra; parecia que não estava mais ligada a este mundo. Não esboçou reação com o tapa de mão cheia em seu rosto dado por sinhá Joanna, por conta de uma xícara que deixou quebrar. Também parecia uma estátua de granito quando a palmatória estalou em sua mão, castigo ainda pelo mesmo "grave" delito de ter quebrado uma xícara. Em seus últimos delírios, ela era outra vez Ẹwà Oluwa e sorria ouvindo os *orikis*[3] declamados por parentes e convidados em seu casamento, diante de toda a família reunida. Via-se linda com seu grande e elaborado turbante vermelho e a veste predominantemente desta cor, mas com delicados grafismos amarelos. Dançava, rodava e era feliz de mãos dadas com o amado e bonito Gowon. Estava esperançosa, bebendo a água que ele lhe trouxe do lago *Iyake*, pouco antes de fazerem amor. Embalada por estas recordações, Helena partiu sorrindo. Quando soube do ocorrido naquele domingo, escondido no meio da plantação, molhado pelo chuvisco, Firmino finalmente conseguiu chorar.

Dona Joanna rumou contrariada para ver a recém-nascida da recém-chegada, disposta a se desfazer dela de alguma maneira. A mãe morreu e não lhe serviria de ama de leite para algum dos seus ou para aluguel, e a criança era só mais uma boca que demoraria a dar algum lucro, mas quando viu o bebê com uma cabeleira fina e vasta mudou de ideia. Riu-se até as lágrimas caírem, pois a achou muito "engraçada".

— Está batizada. Anolina será seu nome! Umbelina cuide dela dentro do possível.

Anolina é uma planta comprida de folhagem abundante, porém fina e áspera. Quando é pequena, seu tronco parece uma batata.

---

[3] Os oríkì (do yorùbá, orí = cabeça, kì = saudar) são versos, frases ou poemas que são formados para saudar o orixá referindo-se a sua origem, suas qualidades e sua ancestralidade. Os oríkì são feitos para mostrar grandes feitos realizados pelo orixá. Com isso, podemos nos deparar com oríkì não somente para os nossos orixás, mas também para pessoas que foram grandes líderes, caçadores, governantes, sacerdotes, reis, rainhas, príncipes e todas as pessoas que em um passado distante ou recente fizeram algo de importante para com uma comunidade ou para com o povo.

Os reis do massapê

A terra é negra. Ela se amassa com o pé. Ela é de massapê. Um chão de cor muito escura formado há milhões de anos de decomposição do granito perdido na eternidade. Pedras que lentamente foram se transformando em um piso de argila, maleável e extremamente fértil, que faz de tudo brotar. Os pés nus que amassavam o massapê se confundiam com a cor da terra: preta. Ouro negro de barro, ouro negro de carne.

Só entende os corações desse lugar quem mergulha nesse mar a perder de vista e recoberto de cana caiana, cana fita, cana roxa, cana-de-macaco, açúcar, melado, rapadura, aguardente, fumo, mandioca, quiabos, pimentas, moendas, frutas, fruta-pão, sobrados, senzalas, tachos, casa de purgar. Um reino dentro de outro, com tudo o que se tem direito: reis, rainhas, príncipes e princesas, bobos da corte, cortesãos, conselheiros e escravos, muitos escravos... Os que detinham o cetro do mundo da terra negra eram os "reis do massapê" — como dizia ironicamente Adônis, um personagem que em breve aparecerá na história — ou a "nobreza do Recôncavo", na boca do povo.

Um bom "rega-bofe" no Recôncavo imperial, uma festança daquelas para ser considerada de classe tinha que ostentar entre os convidados alguns representantes das cinco estrelas douradas dos Moniz, das três estrelas e três conchas dos Vieira Tosta, das listras douradas dos Aragão, do leão escarlate dos Silva e mais uma dúzia de brasões e títulos de nobreza concedidos pelo imperador do Brasil. Títulos muitos deles comprados a peso de ouro, mas quem se importava com isso?

A corte do massapê, como qualquer outra na história da humanidade, fazia tudo para não deixar escapar nenhum mísero grão dos seus domínios para quem estivesse de fora do seu apertado círculo. Os nomes se repetiam de pai para filho, para sobrinho, para netos e bisnetos, de forma concêntrica e repetitiva, para que não pairasse nenhuma dúvida de que são todos da mesma parentela. As farinhas todas num mesmo saco brasonado.

Em 1806, Manuel Vieira Tosta, filho de um português vindo dos Açores, e Joanna Maria da Natividade começaram um incrível império quando compraram de Anna Maria de Jesus 500 braças de terra em uma das margens do rio Paraguaçu. Um lugar de rara beleza e estrategicamente posicionado, pois o rio faria o escoamento da produção do que quer que fosse de forma infinitamente mais rápida e econômica, mas em contraste com o encanto do Engenho do Capivari — que depois passaria a se chamar Engenho da Natividade — uma luta nada bonita foi travada nos primeiros dez anos de Manuel e Joanna naquele pedaço de chão. Como nas disputas feudais, Sua Alteza Real Dom João VI, Rei de Portugal e dos Algarves d'Aquém e d'Além Mar, teve que intervir pra deixar claro a quem pertencia cada palmo.

A iniciativa do apelo ao rei veio do casal que quando chegou ao lugar topou na margem oposta com um vizinho, Manuel Rodrigues da Costa. Manuel, quando soube que seu "xará" e Joanna estavam pedindo ao monarca provisão para demarcar as terras, temeu sair perdendo. Seus confinantes eram mais ricos e influentes — pensou — e poderiam lançar mão de expedientes para tomar parte do que era seu ou no mínimo desvalorizar suas posses. Depois de muito pensar, se apressou a vendê-las para um "peixe mais graúdo".

O comprador foi ninguém menos que o Comendador Pedro Rodrigues Bandeira, filho da primeira proprietária, Ana de Jesus que, com seu marido também chamado Pedro Rodrigues Bandeira, obteve sesmaria da região em carta régia de 18 de agosto de 1736. Pedro Bandeira era um riquíssimo comerciante, além de ser o maior exportador de aguardente, fumo enfardado e enrolado. Produtos trazidos dos seus armazéns e alambiques de Cachoeira eram enviados para os portos de Portugal, da África e da Índia em embarcações próprias, pois ele era armador dono de vários navios que faziam o comércio para as principais cidades da Europa e da Ásia. No entanto, suas mercadorias mais valiosas eram de carne, ossos e respiravam: levas e mais levas de negros e negras.

Em verdade, o comércio de gente foi o que deu aos Bandeira todo o resto. Pedro era considerado um dos homens mais ricos do Brasil no início do século XIX. Ele colecionava engenhos e fazendas e, na época do imbróglio com o Engenho Natividade, estava no auge do poder e da prosperidade, mas também em um grave momento de preocupações, pois uma onda de rebeliões escravas sacudia a Bahia.

O reino muito lhe devia, pois a Fazenda Real lhe tomou vários empréstimos. O nome "Bandeira" abria portas e causava temor. Em sua petição ao rei, Manuel e Joanna escreveram sobre ele: "... homem poderoso que com seu respeito e cabedal tudo vence e engata". Alegaram que o temor deles era de que o Comendador adiasse por "chicanas e expedientes" indefinidamente o processo de demarcação até que a terra estivesse esgotada e que não servisse para mais nada.

Sete anos após a compra, em 27 de março de 1813, Sua Alteza Real concedeu a primeira permissão para demarcação e no ano seguinte, em 15 de novembro de 1814, chegou nova ordem de Dom João. Pedro Bandeira, talvez agastado com a insistência de Manuel e Joanna, visivelmente perdeu a paciência em uma carta ácida, sem meias-palavras, que pretendia pôr um ponto final na questão. A carta dava o tom do azedume entre os vizinhos.

— "O requerimento de Manuel Vieira Tosta e sua mulher, Joanna Maria da Natividade, além de falso, é um daqueles papéis caluniosos que a maledicência sempre produz".

E passou a relatar em detalhes toda a transação, creditando na conta da ambição do casal a insistência na demarcação, visto que desejavam as terras de Manuel da Costa, "um confinante pobre e miserável que podiam abusar da sua indigência até o ponto de o obrigarem a vender-lhes as mesmas terras que muito cobiçavam". O comendador os acusava de alterar os limites traçados amigavelmente e revelava que o total acordado na compra à Dona Ana não fora totalmente pago aos seus herdeiros.

O resumo da opereta é que a demarcação foi feita, mas nos termos de Pedro Bandeira, que não alterou um centímetro do que achava que lhe pertencia. Naquela região, ele era dono também do suntuoso Engenho Vitória, na margem esquerda do Paraguaçu, um pouco abaixo seguindo na direção de Cachoeira. O Vitória e o Natividade do Capivari seriam uma espécie de irmãos separados pelo rio.

Desta forma, com tudo bem definido, as famílias dos vizinhos brigões, como será visto mais adiante, se entrelaçariam, pois os reis do massapê não admitiam intrusos. Sangue azul não se mistura (oficialmente) com a plebe, e entre eles criavam uma intrincada teia de alianças, matrimônios e batizados que mantinha tudo hermeticamente fechado nas mesmas mãos. Como o francês Napoleão Bonaparte, os soberanos deste mundo colocaram a coroa nas próprias cabeças e multiplicaram largamente não só em bens, mas também em filhos. Dona Joanna e Manuel tiveram oito herdeiros (quatro homens e quatro mulheres): o Comandante Superior Francisco Vieira Tosta, Manuel Vieira Tosta Filho (Barão de Muritiba), O Comandante Superior Jerônimo Vieira Tosta, o Tenente-Coronel Chefe de Estado Inocêncio Vieira Tosta, dona Cândida Tosta da Natividade Pinto (casada com João da Mata Pinto), dona Maria Moreira Tosta, dona Umbelina Maria da Natividade Tosta e Silva e dona Ana da Natividade de Moraes Tosta.

Como uma moenda de cana, a vida girou. Pedro Rodrigues Bandeira morreu solteiro e deixou para os sobrinhos uma incalculável fortuna, e entre estes herdeiros, alguns casados, com descendentes de Joanna e Manuel, que acabaram, finalmente, de posse da outra margem do rio.

A rainha e o rei

A rainha é a peça mais poderosa num jogo de xadrez. Ela é a única que se move em todas as direções e deve ficar na casa de sua própria cor. A rainha preta fica na casa preta, e a branca, obviamente, na branca. A tarefa da dama é proteger o rei. Quando ela perde, é xeque. Quando ele perde é xeque-mate e fim da partida.

Dona Joanna Maria da Natividade Tosta era uma dama do tabuleiro de xadrez. Sempre com seu bispo ao lado, visto que era religiosa ao extremo de pensar que foi verdadeiramente eleita para a santidade. Já enviara muito negro para o tronco por acreditar que estavam praticando as "feitiçarias". Matriarca daquela família com tantos títulos e dona de extensões de terra até onde a vista não alcançava, ela não admitia mistura de espécie alguma e vigiava com olhos atentos a conduta dos muitos filhos, sobrinhos e netos.

Desde que o marido Manuel falecera há muitos anos, era ela quem estava por trás de todos os passos que dirigiam o clã e cumpria à risca a tarefa de proteger o seu rei, que agora era o filho primogênito, chamado Manuel, como o pai. Por isso não havia deixado a crioula Amância ter aquele mulatinho que ela esperava dele. Dona Joana sabia que Manuel andava se deitando com ela há tempos. Quando o marido era vivo, sempre fechou os olhos aos "assaltos" que fazia à noite na senzala e considerava normal que os muitos filhos se iniciassem sexualmente por lá. Não se importaria com o filho mestiço de Amância se não visse que o rapazola estava "enrabichado" de verdade pela moça realmente bela, mas não deixaria o erro continuar.

Isso já estava nos planos, mas tratou de arrumar rápido para que Manuel partisse para estudos na Europa e bastou o rapaz dar o primeiro passo para fora do engenho para que a mãe mandasse dar uma surra sem precedentes na negra. Amância abortou e, não passaram muitos dias, foi encontrar o filho não nascido no outro mundo. No enterro da escrava, a "sinhá" apareceu, puxou um terço, abaixou a cabeça em oração e antes de sair afirmou, passando os olhos na assistência, que não ousava olhá-la nos olhos, em tom pausado, como se estivesse dando uma advertência a crianças travessas:

"Que não tenha ido em vão".

A mãe de todos os Tosta era temida com razão, pois seria capaz de qualquer coisa para defender o que considerava seu, dos seus e de mais ninguém. A morte de Amância pode ter incutido o medo no coração das negras em reivindicar seja lá o que fosse, mas de nada servia para aplacar a sede de sexo dos jovens da família, que eram muitos. Dona Joanna fazia "vistas grossas", afinal vendia o negrinho, a mãe ou os dois, caso sentisse que seriam um estorvo.

Apesar da rotina quase militar do engenho, vez ou outra as coisas saíam do controle férreo de sinhá Joanna. Todos os dias, o sol ainda não havia se levantado, mas os negros sim. Depois de uma rápida merenda de mingau de milho, o grupo de cerca de 50 escravos era perfilado em frente à casa para a oração comandada pela senhora e depois para receber as instruções de trabalho do dia pelo feitor. A ladainha era puxada por ela e todos tinham que repetir seus dizeres, mesmo que nada entendessem.

Naquela fatídica manhã, estavam exaustos, pois era época das colheitas e tinham uma jornada de 14 horas ou mais na plantação, entre folhas cortantes feito facas, cobras, insetos e o chicote sempre pronto do feitor. A alimentação não era suficiente para o peso que carregavam diariamente, quase não sobrava tempo para cultivarem suas pequenas roças e assim reforçar as refeições.

A mestiça chamada Felipa cansou. Todos repetiam a reza da manhã e ela, de pé como o restante, não abria os olhos nem os lábios para dizer palavra. A senhora, percebendo o mutismo da moça, saiu da varanda, desceu lentamente as escadas até o pátio, parou na frente de Felipa e, com um gesto, fez com que todos se calassem.

— Repita comigo, negra: "Senhor tende piedade de nós. Cristo tende piedade de nós. Senhor tende piedade de nós".

Felipa seguia muda. Dona Joanna não se alterou, mas repetia as palavras como se fossem bofetadas no rosto de Felipa, que continuava em silêncio, com uma lágrima que lhe escorria na face.

— Repita comigo, negra: "Santa Maria, rogai por nós. Santa Mãe de Deus, Santa Virgem das virgens, Mãe de Cristo, Mãe da Igreja, Mãe da divina graça"!

O feitor se aproximou.

— Sinhá, eu faço essa insolente falar agora se... — Dona Joanna levantou a mão sem olhar para ele, ordenando que se afastasse.

— É minha tarefa fazer com que o verdadeiro Deus se instale nos corações dessas crianças.

E prosseguiu.

Repita comigo, negra: "... Espelho de perfeição, sede da sabedoria, fonte de nossa alegria, vaso espiritual, tabernáculo da eterna glória, moradia consagrada a Deus!..."

As lágrimas já ensopavam o rosto de Felipa, mas ela seguia sem proferir palavra.

— Pois bem — disse a senhora — você não quer orar. Você se recusa a aceitar a Santa Mãe de Jesus em seu coração. Nossa Senhora da Natividade, da Conceição, das Dores e de todos nós! Muito bem, Felipa, muito bem... Respeitarei sua vontade.

Todos se entreolharam incrédulos. Com um gesto, dona Joanna chamou o feitor e cochichou algo em seu ouvido. Ele saiu e ela permaneceu imóvel alguns minutos, feito uma estátua na frente da escravaria, aguardando sem se alterar. Quando o homem voltou, ela ordenou que amarrasse Felipa ao tronco que estava a poucos metros dali. Ele a arrastou até lá e a acorrentou à madeira que já assistira tantos suplícios. Dona Joanna, outra vez com seu passo lento, foi caminhando sem pressa entre o corredor formado por escravos de um e de outro lado.

— Abram a boca desta mulher! — ordenou aos homens do feitor.

Estendeu a mão direita e o feitor depositou nela uma faca brilhante, grande e tão afiada que feria só por encostas. Num só golpe, ela cortou a língua da escrava. Enquanto o sangue jorrava e os homens se preocupavam em estancá-lo, a senhora continuou recitando, altiva, enquanto caminhava de volta a casa, com a saia manchada de vermelho, sob os olhares de pavor de alguns, choros contidos e ódio mal disfarçado de outros:

— "Rainha dos anjos, rainha dos patriarcas, rainha dos profetas, rainha dos apóstolos, rainha dos mártires, rainha dos confessores da fé, rainha das virgens, rainha de todos os santos, rainha concebida sem pecado original, rainha assunta ao céu, rainha do santo rosário!"

As últimas ordens foram dadas do alto de sua varanda de sempre, em tom bem alto para que ninguém deixasse de escutar:

— E agora que o teatro acabou, é hora do trabalho. O canavial não espera! O fumo também não! Senhor feitor, não deixe essa infeliz morrer. Quero ouvir o seu silêncio eloquente, que tanto fala ao Senhor, todos os dias.

Os filhos mais novos auxiliavam, mas foi a senhora Joanna que tomou as rédeas de tudo e conseguia dirigir com mais pulso que qualquer um deles. Conferia os livros, as saídas e entradas de dinheiro, os acordos firmados, contava cada item da despensa diariamente, abrindo a porta do depósito com as chaves que guardava em uma penca, sempre amarrada em sua cintura. Dona de uma memória invejável, ela sabia o nome de cada cabeça de sua propriedade. As de gado e as humanas. Inteligente acima da média, ela também sabia impor sua vontade, dando sempre a impressão de que foram os filhos homens que decidiram, mas todos já haviam percebido quem era o cérebro por trás de tudo. No seu entender, poderia descansar apenas quando o seu preferido, Manuel, estivesse de volta. Para ela, ele era o que mais tinha herdado sua "têmpera". Ele era o rei para a matriarca.

Manuel saiu das terras do Natividade e do meio das pernas da crioula Amância aos 17 anos para estudar Direito em Portugal, na Universidade de Coimbra. Uma vez por lá, o rapaz baixinho burilou sua autoridade e espírito de liderança. Na universidade, se envolveu com a Rebelião do Marquês de Chaves e alistou-se no batalhão acadêmico em defesa da carta constitucional outorgada por D. Pedro IV. Quando D. Miguel I assumiu o poder, que era contra tudo aquilo, "Tostinha", como era chamado pelos companheiros de universidade, foi obrigado a deixar Portugal faltando pouco para terminar os estudos.

O herdeiro Tosta seguiu para a França, e em Paris foi assistente de professores das escolas de Direito e de Economia Política, ensinada no Conservatório das Artes pelo célebre Jean Baptiste Say. Este estudioso da economia, que foi discípulo do famoso filósofo e economista britânico Adam Smith, no tocante ao trabalho escravo, defendia que este nunca seria menos lucrativo que o trabalho livre. Say analisou o efeito da escravidão sobre a produção na primeira edição do livro intitulado "Tratado", no capítulo denominado "As colônias e seus produtos". Uma opinião que gerou polêmica e foi revista por ele próprio em edições seguintes do mesmo livro. No entanto, as primeiras opiniões muito casavam com as de seu aluno brasileiro.

> ... primeiro, os escravos são administrados por "vigilantes muito ativos" que não permitem a ociosidade, e se houver qualquer abuso será em decorrência da exigência de mais trabalho; segundo, o escravo não é engenhoso; terceiro, apesar de "algumas vezes o excesso de ambição, o furor ou a obstinação de um senhor" provocarem a morte de um escravo, em geral os proprietários "conhecem muito bem os seus interesses para se expor frequentemente a perdas deste tipo"; quanto às mortes naturais, as substituições já estão incluídas no cálculo das despesas anuais e, em suas palavras, "no meu cálculo já as considerei, ao incluir na lista dos custos de manutenção do escravo os juros vitalícios do seu preço de compra"; quarto, o consumo do escravo é determinado pelo interesse do proprietário.

Manuel Tosta regressou para a Bahia com 23 anos, em 1830, mas já com todas as ideias formadas e sedimentadas sobre quem mandava, quem devia ser mandado e quanto valia o peso de cada negro em ouro. Colecionou guerras e se tornou especialista em sufocar revoltas. Sete anos depois de retornar de Portugal, em 1837, Tostinha consolidou sua fama de militar implacável e líder quando agiu de forma decisiva, ajudando a sufocar a revolução separatista chamada de "Sabinada".

Não mediu esforços para desbaratar o movimento liderado por Francisco Sabino Vieira, que pretendia decretar a "República Bahiense". A Sabinada fez com que o presidente da província e outras autoridades se refugiassem no Recôncavo. Manuel colocou o próprio irmão mais novo, Jerônimo, liderando homens no encalço dos revoltosos. Em dezembro de 1848, Tostinha foi empossado governador da província de Pernambuco e, a julgar pela forma avassaladora com que agia, Sinhá Joanna não estava errada em dizer que ele e ela tinham muito em comum.

— Não dês espaço para que duvidem de que tu és um líder. Faz o império entender o que é um general; do contrário, esses liberais estarão batendo à nossa porta! — Com essa frase, se despediu de Manuel, quando partiu para cumprir sua missão. Ele era idolatrado e festejado pela elite agrária, mas era considerado um homem cruel pelos demais.

O que acontecia em Pernambuco era que parte da população e membros do Partido Liberal estavam descontentes com o governo da província, dominado pelo Partido Conservador, que tinha muitos membros da família Cavalcanti, a maior proprietária de terras cultiváveis da região. O Jornal Diário Novo, que ficava na Rua da Praia, aderiu ao movimento dos liberais; daí o nome de "Praieira" para a revolta que repudiava a Monarquia e que era a favor da independência política e da reforma da constituição de 1824. A "Praieira" não fazia menção a qualquer mudança na situação dos escravos.

Tostinha seguiu à risca os conselhos da mãe: implantou o terror desde os seus primeiros minutos na liderança da província. Não deu espaço para que respirassem. Fechou tipografias, prendeu jornalistas, invadiu casas, torturou e abarrotou com centenas de pessoas os navios de guerra feitos de prisões ao longo da costa. O jornal pernambucano "Voz do Brasil" fazia trocadilhos constantes com seu nome, trocando-o para "Bosta". O jornal "O Grito Nacional", do Rio de Janeiro, em 1849, falando de uma anistia concedida aos revoltosos, assim o descrevia:

"... Pernambuco ainda não está socegado (sic), porque ainda existe em Pernambuco o Nero, o Calígula, o mais cruel, e o mais feroz que a história nos tem apresentado, o governador civil e militar de Pernambuco, o deshumano (sic), o sanguinário Manuel Vieira Tosta! SENHOR, um decreto de 11 de janeiro do corrente, chamado de amnistia, nenhum efeito produzio (sic) em Pernambuco: antes elle nunca tivera apparecido, concebido nos termos, em que se acha: porque o decreto authoriza o presidente a conceder amnistia os que se fizerem DIGNOS da Imperial Clemencia de V.M.I e C! Que diferença é esta SENHOR, e o que significa uma tal condição, se não um salvo conducto, um Beneplácito de V.M.I e C que o despótico governo SOUBE conseguir para o presidente Tosta continuar na assídua, e desenfreada perseguição contra os Livres Pernambucanos, que são tirados de suas famílias, espancados, seviciados, maltratados, mettidos nas enchovias

das cadêas, nos porões dos vapores, e nos chadrezes de outros navios de guerra, e nas fortalezas a titulo de rebeldes…"

Manuel era um militar que não dava espaço para quem considerava inimigo. O "Grito Nacional", entre muitas citações nada elogiosas, ainda publicou os seguintes versos em agosto de 1849:

> OITAVA
> *Finalmente chegaste, Tosta impávido!*
> *Da marinha serás ministro intrépido!*
> *Vens de culpas, e CRIMES, cheio, e grávido!*
> *De horrendos feitos, contente, e lépido!!*
> *De sangue FRESCO cada vez mais ávido!!*
> *Encaras o DERRAMADO brando, e tépido!!*
> *Eia, monstro, de consciência tórrida,*
> *Tua morte será medonha, e hórrida!!!*

Manuel Vieira Tosta não colecionava títulos à toa. Era tido como obstinado, competente e nunca deixava uma missão pelo meio. Alguns anos mais tarde, em 1855, ao contrário das autoridades na Bahia, que muitos julgaram frouxas na guerra contra a epidemia de cólera, no sul, onde estava como presidente da Província, Tosta foi avaliado como enérgico no combate ao mal.

Nada escapava do seu controle, de forma que mesmo na ponta oposta do país tinha meios de saber o que se passava em seus domínios. Por essa época de auge de dona Joanna como mandachuva dos negócios da família e do filho Manuel na guerra em Pernambuco, Firmino e Helena eram novatos no engenho. A menina cozinheira Dasdô sabia que, se a africana não falasse logo o português e não domasse seu gênio, as coisas ficariam muito feias, pois os "soberanos" eram implacáveis. Helena se foi bem antes de ter a chance de desagradar à "rainha" e sentir sua fúria. Foi melhor assim.

Moendo a cana, o corpo e a alma

Os anos foram passando e Umbelina cumpriu a determinação da senhora à risca: Ensinou tudo o que sabia a Anolina, afinal ela era filha de uma patrícia de sua Ketu. Tudo mesmo. Iniciou a menina no forno, fogão, nos demais afazeres domésticos e em seus cultos, que eram secretos para os senhores. Certo dia, um grito horrendo explodiu no ar por volta das 14 horas. Um contraste macabro com o dia claro de sol a pino, céu azul e sem nuvens. Por um instante, tudo parou. Cessaram as respirações, os corações e parecia que até os ponteiros do imenso carrilhão na entrada do sobrado dos senhores petrificaram pelo berro medonho. O gelo que o grito deixou só foi quebrado quando o sangue escorreu pela terra. Foi uma correria, e outros gritos, choros e gemidos se fizeram ouvir.

O escravo Tito, na mecânica atividade de enfiar a cana na moenda, se aproximou demais e teve seu braço direito tratado pelas engrenagens como se fosse mais um dos compridos pedaços do vegetal. Roberto, o feitor daquela área, que orientava Tito na delicada tarefa, não pensou duas vezes: sacando do enorme facão posto ali para tirar folhas laterais e limpar a cana antes de colocá-las para moer, cortou o braço do cativo na altura que ainda não tivera sido tragada pelos pesados e poderosos cilindros. Salvara a vida dele, pois em poucos minutos Tito seria todo puxado e esmagado, como diziam ter acontecido com o antigo feitor-mor, que por descuido prendeu a manga do paletó e não teve tempo de se desvencilhar antes de ser puxado com toda a força para dentro da máquina, sendo triturado e devolvido como bagaço de cana e suas tripas como caldo.

O engenho Natividade era um feudo. Tinha um burburinho de cidade e profissionais os mais diversos — ferreiros, calafates, pescadores, marinheiros, lavadeiras, sapateiros, cozinheiros, marceneiros, cozinheiras, jardineiros, arrumadeiras, caldeireiros, purgadores, banqueiros de açúcar — um amontoado de gente em um trabalho incessante de 12, 14 horas por dia. Sem falar do pessoal das lavouras de cana e fumo. O compasso da labuta era marcado por cantos misturados com os gritos do feitor-mor e dos cabos-de-turma. Não faltava o que fazer em toda parte, da estrada à casa-grande. Uma colmeia frenética de atividades.

Todo o complexo que formava um engenho era potencialmente mortal para qualquer escravizado. Até na capela um cativo poderia perder a vida se não soubesse exatamente o seu lugar, mas a moenda era de longe o ambiente mais perigoso. Aquele fogo precisava arder ininterrupto de agosto a maio. Depois disso, chegava a chuva e o frio e o trabalho no canavial tornava-se impossível. Nessa época, a moenda funcionava de 18 a 20 horas seguidas. O melado escaldante, as prensas, os facões, as formas, tudo enfim era demasiadamente arriscado.

O trabalho era tão intenso que exigia mais de 30 negros em dois turnos, pois levava à absoluta exaustão. O sono e o cansaço, ou ainda a bebedeira devido à proximidade da aguardente fabricada ali mesmo, faziam com que desastres como aqueles acontecessem com relativa frequência. Não era a primeira vez que os eixos mutilavam ou matavam. Já sabiam o que fazer em um caso como aquele.

A dor foi tanta que Tito desmaiou. Roberto e os outros se apressaram em parar as rodas e em buscar panos para amarrar o braço decepado pouco antes do cotovelo. Era preciso estancar aquele sangue. Enquanto Roberto o segurava, Felizardo correu para esquentar o facão. O velho Quim trouxe uma pinga que derramou no antebraço do moço. Tito acordou gemendo alto. O restante da bebida foi entornado goela abaixo do acidentado.

— Bota esse pano no meio dos dente dele — deu ordem a Roberto.

Passando a mão no facão em brasa e, pegando fôlego, o velho baixou a lâmina no pedaço cortado. Subiu um cheiro forte de carne queimada e Tito novamente perdeu os sentidos. Ouviu-se um galope de cavalo. Era o feitor-mor, Moreno, que chegava apressado. Veio correndo para saber o que estava acontecendo assim que os ajudantes deram o alarme. Encontrou muita agitação.

— Que fuzuê é esse aqui? Acabou o divertimento. Todo mundo voltando pra lida! — gritou, rodopiando com o cavalo pelo pátio antes de apear e caminhar na direção da vítima, sacudindo o azorrague — uma espécie de chicote feito por uma ou mais correias entrelaçadas - que sempre levava consigo em "caso de precisão". O velho Quim se adiantou.

— Foi uma dô muitcho grande, sinhô! Tito quase morre prensado, mas nós corremo tudo pra acudi — tentou explicar.

Moreno afastou a aglomeração que se formou em torno do ferido ainda inconsciente, que jazia amparado por seus enfermeiros improvisados e examinou a situação. Tremia em pensar que teria que dar conta ao senhor daquele prejuízo. Tito tinha 18 anos e era forte como um touro. Normalmente estaria na lavoura, mas naquele dia substituiu João, doente na senzala. Nas vezes que precisou trabalhar no engenho, mostrou-se um dos mais eficientes. Já possuía noções de oficial de açúcar, e no entender de Moreno não era tão "bruto de entendimento como esses nego". Tito era criativo e tinha soluções inteligentes para tornar o trabalho mais rápido. Ele servia tanto para a lavoura quanto para a lida do açúcar. Valia um conto de réis ou mais e arriscava o patrão descontar do dinheiro dele a reposição.

— Não lhe perguntei nada, velho. Levem esse preto pra senzala. Ô Pedro! Procura o sinhô. Thadêo, véio Quim e Roberto, voltando agora pra lida. E o resto, fazer o favô de cuidá de suas vida! — Moreno, bastante irritado, foi distribuindo ordens e já ia saindo quando outra vez Quim Jêje tomou a palavra.

— Sinhô feitô, permite falá... carece de chamá arguém pra cuidá do braço... — disse, com aquela voz lenta e paciente, mas ao mesmo tempo de quem está cansado de dizer o óbvio.

Moreno girou nos calcanhares e respondeu um tom acima da costumeira impaciência:

— O que num carece é de um véio feito vosmicê vir me dizê o que eu tenho ou num tenho que fazê. Quem mandô esse nego ser tão burro de deixar o braço pra moenda comer? O doutô só vai aparecê aqui no final da semana.

— Mas quem tá falano em doutô é o sinhô feitô, eu tô falano de arguém pra cuidá. Tô falano que pode ser um de nossa gente...

Moreno sabia aonde o velho queria chegar e apertou as pálpebras, olhando fixamente para ele.

— E vosmicê bem sabe, seu Joaquim, o que a beata da sinhá Joanna faz se sabe dessas feitiçaria de nego nas terra dela?

— Mas sinhô feitô...

Moreno interrompeu a fala de Quim com uma bofetada no rosto do velho.

Água de barrela

— Já está dada a minha ordem! — disse, entre dentes.

Sem perder a calma, Quim sustentou o olhar do feitor e lentamente foi inclinando a cabeça para baixo. Cuspiu no chão sem pressa e voltou a encarar Moreno, que ficou quase tão vermelho quanto o sangue de Tito, que ainda estava fresco na terra batida.

— Hoje, nego, ocê dorme no tronco.

E o africano, com seus 60 anos, foi empurrado pelos capatazes e acorrentado ao tronco, perto da senzala, para passar até a mesma hora do dia seguinte preso.

— Isso é pra vosmicês saberem bem quem é que manda nesse lugá! — gritou Moreno para os outros.

O ano era 1855. Moreno era um jovem de 19 para 20 anos, mas sua dureza já era famosa. Roberto, filho de Joaquim, foi contido para não avançar no chefe. Ele mesmo foi nomeado feitor menor por ter autoridade sobre os demais, por ser calmo e muito eficiente nas rodas. Quando Roberto fiscalizava, o trabalho rendia o dobro.

A senzala daquele engenho era formada por oito casebres de taipa e palha alinhados, que distavam aproximadamente 500 metros da casa-grande, e por um galpão um pouco mais distante onde eram colocados os homens da lavoura, mas não o suficiente para que o senhor não acompanhasse seu movimento da janela do sobrado. A noite caiu e Tito delirava com dor lancinante. Salustiana, a mãe, a irmã Judith e outros cativos estavam agitados e preocupados. Não perceberam quando uma negrinha gorda entrou carregando uma bacia.

— Salu, deixa ver Tito — disse, imperativa.

— Ai, Dasdô! Graça a Nossa Senhora da Natividade, a Deus Nosso Sinhô Jesuis, a Nosso Sinhô do Bonfim, a São Roque, a... — Dasdô fez um gesto impaciente.

— Ô vixe, mulé! Os santo já tão sabeno que ocê tá muito grata. Agora sai da frente ou Tito vai morrê!

E, se ajoelhando perto da esteira onde o rapaz jazia, deu a ele um líquido amargo. Chá de mulungu, uma planta que acalmava, sedava, aliviava a dor. Umedecendo um pano na bacia, limpou o ferimento e o deixou envolto em um emplasto. Por fim, deu pedaços de pão, fez com que tomasse um caldo quente e bateu umas folhas nos cantos do casebre. Murmurou umas palavras incompreensíveis, deu recomendações a Salustiana e saiu apressada.

Naquele passo entre a corrida e caminhada na ponta dos pés que só ela possuía, Dasdô percorreu a pequena distância entre os barracos e o galpão. Trocou umas palavras com o feitor vigia e entregou-lhe uma trouxa perfumada. Dasdô tinha suas artimanhas. Cozinheira de mão cheia na casa-grande, ela sabia conquistar a simpatia de todos os lados daquele mundo sempre prestes explodir. Apesar de imobilizado, o velho Quim, ao contrário do jovem, estava muito lúcido.

— Dasdô, como foi que cê...? eu... — Ela pôs o dedo indicador na boca pedindo silêncio e sussurrou.

— Num fala nada, véio. Tô trazeno o que mandaram — Ela repetiu o ritual que fez com Tito. Enquanto caminhava de volta para a casa-grande, os dois já estavam em um sono profundo. Neste meio-tempo, Roberto e os outros não conseguiam dormir. Felizardo não se sentia bem...

— Tamém! Aquele homi bota nóis tudo doente. A raiva entope o sangue e traz doença! — Roberto levantou e parecia um bicho enjaulado, pois no final das contas era isso mesmo o que eram. Andava de um lado para o outro, com os olhos saltados e a veia do pescoço latejando.

— Diga, Roberto, como vamo fazê pra livrá desse Moreno? Ele agora tá inventano de num deixá sair pra fazê ganho na cidade nos domingo. Como é que vamo completá a comida? Arrumá um trocado pra mais umas rôpa... descansá um poco? — perguntou Akin ou Firmino, agora um jovem robusto de 16 anos e esquentado como ele só. Desde o dia em que pisou no engenho pela primeira vez, foi todo confusão. Todos se olharam.

— Precisamo pensá, Firmino, pensá...

Felizardo soltou um gemido agudo. Sentia uma dor forte na barriga e calafrios. Entre as mulheres, depois de passar dois dias sem forças para nada, Silvana tinha os mesmos sintomas, mas também não parava de evacuar e começava a vomitar compulsivamente. No outro extremo do cômodo, outros quatro jaziam prostrados.

Roberto franziu o cenho. Alguma coisa séria estava acontecendo ali.

O ceifeiro implacável

O dito popular reza que na morte todos se igualam. Pois nunca isto foi tão verídico quanto naquele ano de 1855. Uma vez defuntos, todos são iguais, mas até chegar a este estado há um mar de diferenças e, como não poderia deixar de ser, a escravaria foi a primeira a sentir a presença do "ceifeiro implacável": o *cholera morbus*. Um mal silencioso e mortal que veio ninguém sabe ao certo de onde, mas que se insinuou pelos portos de Salvador e foi se alastrando por toda a região. A contabilidade, quando a epidemia recrudesceu, dá conta de que mais de oito mil na região de Cachoeira morreram.

— Acudam Felizardo! — gritou Mariana, em lágrimas.

Depois de cinco dias com muitos vômitos e diarreia intensa, Felizardo tinha o pulso muito fraco, a pele fria e seca. Respirava com dificuldade imensa e se contorcia com dores que pareciam lancinantes no ventre, nas pernas e nos braços. De tudo tentaram, mas poucas horas depois o negro jazia imóvel, com uma estranha cor azulada.

Um silêncio soturno tomou conta do ambiente, que só era quebrado pelos gemidos de Silvana, que caíra enferma pouco depois de Felizardo e parecia que em breve teria o mesmo fim. Roberto sentiu um calafrio, pois epidemias não eram novidades para eles. Os africanos que chegaram no período proibido do tráfico vieram pra repor mão de obra perdida com surtos fortes de doenças.

Oito anos antes, em 1847, o juiz de paz de São Félix, Justiniano da Rocha, escreveu ao Presidente sobre "uma grande mortandade" na freguesia de Muritiba. O relato de Justiniano falava de mais de seis pessoas mortas por dia e pedia alcatrão para queimar nas ruas e evitar o "ar pestilento".

Em 1850, "a bicha", como era chamada a febre amarela, fizera um estrago, assim como surtos anteriores de varíola e doenças várias que levavam muitos de uma vez só para debaixo da terra. O cólera era mais um mal letal que vinha assombrar as vidas empobrecidas daquela população, que já vinha sofrendo com a crise econômica da cana-de-açúcar, que estava valendo menos no mercado internacional devido à concorrência de outros mercados e a carestia que advinha disso.

Roberto controlou ao máximo o próprio pânico e a extrema raiva do feitor-mor para comunicar a Moreno o acontecido. Assim como Roberto, Moreno estava preocupado. Em uma semana, a conta dos prejuízos só aumentava. Um negro forte mutilado, um morto e mais cinco em mau estado. Foi relatar os fatos ao administrador do engenho, o Coronel Umbelino da Silva Tosta, neto da velha Joanna, viúva de Manuel e dona de todos os domínios ali.

— Mas o que está acontecendo, Moreno? — gritou o coronel, muito irritado por não ter sido comunicado antes de tantos transtornos em suas terras.

— O sinhô tava na cidade, lidando com a política e...

— Não me interessam suas desculpas, Moreno! Vosmicê tinha que mandar me avisar imediatamente dos acontecidos aqui. Isso devia custar a sua cabeça e, tenha certeza, alguma coisa vai lhe custar, mas antes vamos ver como estão as coisas — disse o Coronel, enérgico.

Os dois saíram pisando firme, com Umbelino à frente. O cenário não era bom. Imediatamente foi separado um dos oito casebres da senzala para quem manifestasse algum sintoma de doença. Felizardo, embrulhado num pano velho, foi imediatamente sepultado numa cova rasa de um terreno afastado. Um enterro às pressas.

Tudo aquilo ocorria logo naquele momento que, finalmente, prometia bons ventos, pois o açúcar estava bem cotado no mercado internacional. O que ninguém esperava era que uma epidemia quase dizimasse a mão de obra, botando por água abaixo as esperanças de lucros dos senhores. É bom não esquecer que, cinco anos antes, em 1850, o tráfico fora proibido, logo, renovar o braço escravo não era mais tão simples. A situação ficou complicada e o presidente da província, Álvaro Tibério Moncorvo Lima, foi muito claro:

"A invasão da cholera (...) causou, além da notável diminuição nas moagens dos engenhos de fabricar açúcar, o retardamento da vinda da safra para esta Cidade e, conseguintemente, excusarão os especuladores de mandar vir embarcações naquella calamitosa época, em que a qual, por força dessa ocorrência, houve (...), uma extraordinária, mas justificada, diminuição na Renda Geral da exportação".

Silvana partiu três dias após Felizardo e a eles se juntaram quase um terço dos escravos em duas semanas. Os sintomas e o ciclo eram sempre os mesmos: dores intensas, vômitos, diarreia, cor azulada, morte. Na fazenda, Coronel Umbelino mandou para Salvador sinhá Anna Joaquina — sua prima e esposa — e o filho de ambos, Benjamim. Como se lá a coisa não estivesse também muito mal. A velha Joanna não quis arredar pé de suas terras.

— Muito me custou tudo isso. Aqui fico e aqui luto. Exatamente aqui onde está teu avô e todos os nossos — sentenciou.

Imediatamente, sinhá Joanna reuniu velhas negras e os colonos para uma novena a Nossa Senhora da Natividade, que reinava em um altar na capela. Para ela, era certo que a peste tinha a ver com um castigo dos céus.

Enquanto os engenhos tentavam salvar seu território do avanço da mortandade, nas cidades, ela, a morte, já era dona até das pedras do calçamento. Para somar ao triste cenário insalubre das aglomerações urbanas e suas valas negras a céu aberto, lixo e excremento exposto em becos malcheirosos, agora vinham os cadáveres insepultos.

O povo, medroso do contágio pelo contato com os mortos, largava os corpos em qualquer parte: na porta das igrejas, dos cemitérios, nos becos... Os defuntos serviam, assim, de pasto para cães e porcos. Um cenário dos horrores que outras tantas doenças trazia e de nada adiantava, pois o *vibrio cholerae* é transmitido pelo contato com os excrementos das vítimas infectadas, logo, a falta de higiene é o ambiente ideal para a proliferação da doença... Mas como saber disso quase trinta anos antes de o bacteriologista alemão Robert Koch descobrir o tal bacilo?

A Comissão de Higiene Pública da capital enviou a Cachoeira o médico João Antônio D'Oliveira Botelho, e este foi visitar o hospital. Lá chegando, avistou cadáveres pelo chão, e um enfermeiro assistia a tudo imóvel, sem reagir. O enfermeiro disse que há cinco dias nenhum médico ou acadêmico por ali aparecia e por isso não tinha nada que ele pudesse fazer.

O fato é que o caos estava instaurado. Famílias inteiras fugiam para Salvador e muitos morriam na viagem. Crianças desembarcavam órfãs na capital da província. Diante de tal quadro, os senhores de engenho estavam igualmente mal parados. Logo outro medo começou a rondar: revolta de escravos.

— Ô Roberto, a hora é essa! Moreno anda distraído com a doença. Ninguém põe reparo em mais nada direito por aqui — Firmino sussurrou no ouvido de Roberto algo que não saía de sua cabeça.

A essa altura, o ceifeiro chamado cólera tinha carregado para o além quase um terço dos pretos do engenho. Coronel Umbelino estava carregando na mão com os que ainda demonstravam força. Carga horária dobrada e quase nenhum descanso. Castigos para quem fizesse "corpo mole". E Moreno tinha certo prazer sádico em fazer cumprir as ordens do chefe.

— Roberto, ô vosmicê vem com nóis ou fica contra nóis. É só escolhê.

Firmino mirou Roberto, desafiador. Deu a entender que já tinha tudo planejado, e Roberto se viu sem muita saída. Também ele já não estava aguentando mais. Depois do castigo graças aos cuidados de Dasdô, o velho Quim saíra com vida e Tito também conseguiu sobreviver ao grave ferimento. Tenha sido por conta das beberagens e procedimentos da "feiticeira", pela providência divina ou pela dureza de corpo, a verdade é que ambos estavam fortes para resistir à epidemia, que se mostrava cada vez mais violenta. No entanto, Moreno, na concepção da maioria, era a pior doença de todas.

Apavorados como estavam com o contágio, o Coronel Umbelino e o feitor não deixavam que sepultassem decentemente os escravos mortos. A exemplo do que era feito nas cidades, um terreno foi destinado para que praticamente jogassem os defuntos. Tito, que sem um braço era considerado de pouca serventia para a lavoura e para o processo do açúcar, e o velho Quim foram alguns dos obrigados a se engajar no perigoso trabalho de transportar e dar fim aos cadáveres.

— Vai esperá teu pai morrê de peste? E Isabel?

— O que tem Isabel? — espantou-se Roberto.

Firmino olhou para Crispim e ambos para Roberto.

— Num posso crê que só tu não reparou — alfinetou Crispim.

A escrava e a mulher do feitor

Isabel... tão linda. Isabel... Roberto só tinha olhos para ela desde menina. Quando descia aquela ladeira com as bacias nos braços ou na cabeça, não tinha quem não olhasse. Roberto desde cedo ouvia os mais velhos contarem as histórias da África, dos orixás, e ela era o que sua imaginação mais podia aproximar de Oxum, deusa do amor, da fertilidade, da beleza. Isabel... Ele só tinha olhos para ela. Só para ela. E o sangue lhe ferveu nas veias quando pensou em Moreno lhe encostando os dedos, o corpo... Um calor de ódio lhe subia do peito até o rosto. Estava cego. A cabeça doía. Como nunca percebera? Claro, só tinha olhos para ela...

Num relâmpago em sua mente, tudo fez sentido. Cenas passavam rápidas diante de seus olhos, como no dia em que ela, agachada no rio com as outras lavadeiras, batia roupa na pedra e parou um instante para vê-lo passar com o grupo que vinha do canavial. Abriu o sorriso de marfim. Moreno apareceu não se sabe de onde e tocou os homens dali com violência gratuita.

Imagens aparentemente desconexas corriam diante de seus olhos. Isabel saindo assustada de trás da casa, fugindo de toda forma, se escondendo no meio das outras, de tudo fazendo para não chamar a atenção. Moreno descendo do alto daquele cavalo, perseguindo, pegando Isabel à força, com uma mão cheia apertando sua face e outra percorrendo sua coxa por baixo da saia enquanto aproximava a boca dos lábios dela... Já não sabia o que era verdade e o que era sua imaginação. A insinuação de Firmino e Crispim detonou uma bomba dentro dele. Tinha ganas de matar aquele homem, e seu asco só crescia.

Lembrou a noite em que sinhô Umbelino e sinhá Joanna tinham permitido a festa pelo São João. Em volta da fogueira alta um batuque e Isabel no meio da roda girando, gingando, rindo, dançando a chula — o samba de roda do lugar —, num momento raro de lazer e felicidade. Seus olhos eram um ímã que não desgrudava dela. Levantou-se e foi caminhando lentamente, num contraste com a gente que dançava frenética ao som dos atabaques. Chegou perto dela, que lhe abriu um sorriso e lhe estendeu as mãos. Estavam assim, dançando juntos, e tudo estava em paz quando Moreno, visivelmente cheio de garapa, acabou com a festa.

— Mas feitô, o coronel e sinhá Joanna deu permissão — argumentou Roberto.

— Mas já vai noite alta e amanhã tem lida. Se acabô a festa — E num gesto mandou seus homens apagarem a fogueira e recolher todo mundo para a senzala.

Foi na noite daquele São João que uma tragédia aconteceu. Depois de acabar com o batuque dos negros, Moreno foi pra casa e lá estava Ângela, sua mulher. Ele contou a toda gente que a encontrou morta, numa história tão cheia de detalhes que coronel Umbelino acreditou sem pestanejar e fez os homens correrem por toda parte procurando suspeitos, afinal, um assassinato assim em suas terras tinha que ser desvendado. Moreno sabia ser muito convincente quando queria, mas a polícia da cidade foi chamada e muita averiguação fez, sem conclusão alguma. No entanto, a história que correu à boca miúda foi que Moreno, bêbado e contrariado, lhe enfiou a faca.

Ele e a mulher viviam nas terras do coronel e também tinham sua lavoura, mas pagavam tributos ao patrão. Ângela não era uma mulher considerada feia, mas tinha uma cor amarelada, uma magreza e um olhar que lhe conferiam grande melancolia. Vivia nas novenas e eventos religiosos de sinhá Joanna e sinhazinha Joaquina, mas era acintosamente tratada como subalterna, embora fizesse tudo para adular as "sinhás". Com a escravaria, era arrogante, afinal, pensava, alguém precisava estar abaixo dela.

Ângela não era diferente da maioria das mulheres de sua época: submissa ao esposo, restrita aos afazeres da casa e de olhos fechados para a infidelidade, mas com o sinal de alerta ligado quando alguma outra fincava raízes no coração do seu homem, oferecendo perigo a sua posição de direito ou aos recursos financeiros da família. E ela percebera que Isabel significava algo mais para Moreno quando ele, em uma de suas famosas carraspanas, adormeceu e não parava de chamar pela preta. Ângela acreditou piamente no dito popular que dizia *in vino veritas* ou "quando a cachaça entra, a verdade sai". A partir daquele momento, além de Moreno, Isabel tinha Ângela no seu pé.

Ângela lhe criou problemas, mas esta não ficava sem revide. Isabel não podia com o marido que para ela era poderoso, mas da esposa não aceitava desaforo. Ângela fizera com que sinhá Joanna lhe deixasse uma semana no castigo depois de estragar a água de barrela que branqueava lençóis "caros do estrangeiro". Não se sabe o que a mulher do feitor fez, mas os panos saíram vermelhos da água, e nada tirava as manchas. Isabel levou "bolos" com palmatória nas mãos e ficou com os joelhos em carne viva por ficar ajoelhada por dois dias inteiros no milho em frente à santa do oratório, sendo em seguida levada presa em ferros pra completar a semana na senzala. Foi só se ver livre que deu o troco em grande estilo.

A mulher de Moreno tinha por tarefa conferir as botas para que o marido não vestisse o calçado às pressas com algum animal dentro. Isabel, vendo as botinas de Moreno no batente da janela após a conferência de Ângela, conseguiu uma cobra-cipó e, com cuidado, abriu o pegador que fechava os canos para evitar que os bichos entrassem, deixando a cobra escorregar para um dos pares, fechando o cano outra vez.

Depois da sesta do almoço, Moreno, num gesto automático, pegou as botas no alto, pois sabia já estarem conferidas pela mulher, e calçou distraidamente. Um grito ecoou no ar e bofetadas estalaram no rosto de Ângela. A cipó não tem veneno, e nos dias seguintes ela sentiria o peso da mão do marido mais algumas vezes e iria dormir várias noites com o rosto inchado, para o deleite de Isabel.

Moreno não suportava pimenta. Isabel conseguiu que um dos negrinhos colocasse a pimenta mais ardida de todas na panela de Ângela momentos antes de servir a comida ao capataz. Na passagem, de quebra, o moleque sumiu do varal com as melhores calças do feitor que precisava delas no mesmo dia para ir à cidade com o Coronel. Isabel desatava numa gargalhada gostosa quando sabia que um plano seu para atormentar Ângela tinha dado certo.

— Ô Isabel, tu num tem pena não, mulé? A pobre já tem a mão de moreno desenhada na cara e a vara de marmelo cravada no traseiro de tanto que apanha.

— Belina, quem tem pena é pata, urubu e galinha. Essa bruaca, desenxabida, carola dos inferno vive lá enfurnada com sinhá Joanna e fazeno intriga. Oxente! Tu bem sabe que já fui pará nos ferro, levei surra de bacalhau[4], me tacaram água de sal grosso nas feridas, ajoelhei no milho... Tudo por causa dessa tarzinha. Pena... — e olhou atravessada para Umbelina. Ambas riram baixinho.

Ângela passou diante das duas, que estavam agachadas perto da porta da cozinha do sobrado dos senhores, chupando mangas. Carregando uma sombrinha rendada, meio puída e amarelada que acabara de ganhar de "inhá" Joaquina, apressou o passo de nariz empinado e fingiu que não viu as moças. Umbelina balançou a cabeça pesarosa, e Isabel, irônica, disparou:

— Essa daí, coitada, pensa que é livre.

Uma não podia provar que era a outra quem aprontava as armadilhas, e assim viveram por muito tempo a escrava e a mulher do feitor: na base do toma-lá-dá-cá. Nada ficava sem resposta. Mas o coração de Isabel era de Roberto. Disso toda a gente sabia... Inclusive e principalmente Moreno. Ela vivia em fuga desse homem brutal, que desprezava profundamente os negros, mas que tinha nela um dos seus pontos fracos.

Na noite de São João, Ângela transbordou os anos de humilhação. Quando Moreno chegou bêbado, pensando, murmurando e transpirando Isabel, chamando por ela, a esposa partiu pra cima dele com unhas e dentes, e atirou objetos espumando de raiva. Chorava com as mãos na cabeça. Nunca se sentira amada, nunca se sentira respeitada, nunca fora senhora de nada.

— Eu sou uma negra branca! Eu sou uma negra branca! Eu sou uma negra branca! — repetia sem cessar.

Continuou o falatório e, furiosa, mais uma vez avançou para ele. Moreno nunca vira a mulher naquele estado. Numa de suas investidas, lhe esbofeteou como sempre. Ela parecia anestesiada. Anos apanhando daquela mão já não lhe causavam efeito.

— Você não passa de um lacaio! Você não é nada assim como eu! Você é um covarde, um capacho desses barões. Você não tem nada, ouviu bem? Nada! Não passa de um porco que se mistura com as sujas e porcas negras!

---

[4] Chicote de pequeno cabo de couro, a que se seguia o couro retorcido, terminando em cinco pontas livres.

Você é um bosta! Uma merda de um bêbado metido a gente! Nem na cama você presta!

E desferiu o golpe fatal. Aquele que equivaleu a um suicídio, uma sentença de morte.

— Não é só você, seu idiota corno, que se deita com pretos! — e olhou pra ele com uma cara de lascívia que o deixou possuído de ódio.

Num reflexo, ele passou a mão no facão que estava em cima da mesa e cravou na barriga da mulher. Já tivera sangue nas mãos muitas e muitas vezes, mas sentiu uma vertigem com o sangue de Ângela. As conveniências pediam que ele fosse casado com aquela mulher por quem nada sentia, que não lhe dava um filho, que lhe irritava apenas por existir... Mas não queria fazer o que fez. Como justificaria a morte dela para toda a gente? Só lhe restava agora arrumar uma boa história.

Os dias ficariam ainda mais sombrios. As lavadeiras eram um grupo muito vulnerável à doença, que a essa altura não assolava apenas Cachoeira, mas o país todo. Elas lidavam com roupas sujas, com restos infectados. Do grupo de sete mulheres que lavava roupas com Isabel, quatro já estavam doentes. Na casa grande, Carolino, irmão do coronel, não parava de vomitar, bem como a tia, Carolina.

Certa manhã, Isabel não se levantou com sua costumeira alegria, "bulindo" com todo mundo, brincando no terreiro com as crianças para em seguida encarar as bacias sem fim de roupas para lavar, alvejar e passar. Isabel se contorcia com cólicas terríveis...

Nobreza em branco e preto

Na morte todos se igualam, assim dizem, assim diziam... E no desespero para não morrer também. Pelo menos foi isto que demonstraram os poderosos do tempo do cólera. A família Natividade Tosta era, como falavam reverentes os cidadãos do Recôncavo, "por demais poderosa". Os filhos de sinhá Joanna foram preparados pelos pais para serem influentes. Como já é sabido, o primogênito, Manuel como o pai, nascido um ano depois da compra das terras do Capivari, foi quem começou a coleção de títulos de nobreza para o clã. Com 48 anos, Manuel já estava maduro e muito experiente na época do mal devastador. Já havia sido presidente da província de Pernambuco, Ministro e Secretário de Estado dos Negócios da Marinha e como presidente da Província do Rio Grande do Sul estava lidando também com a epidemia de cólera. Receberia nesse ano o título de Barão de Muritiba, dado pelo Imperador Dom Pedro II.

Em Cachoeira deixara a filha, Izabel, gravemente doente e ele próprio por pouco tinha escapado da morte três anos antes, em 1852, com febre amarela. A popular "bicha". A doença o impedira de assumir o Ministério da Justiça, cargo que exerceria mais tarde. Manuel Tosta era um dos grandes do império, admirado e festejado pelos seus pares fazendeiros, membros da elite política e financeira. Apesar do currículo de honrarias, vitórias militares e inimigos derrotados, o dado prático era que a doença, assim como ele em suas batalhas, avançava sem piedade. O cólera tinha chegado ao sobrado dos Tosta e nenhum título ou ordem do Barão tinha poderes para aplacar a fatalidade.

O padre foi chamado às pressas. Benzeu todos os cantos da casa, ordenou que todos na residência, inclusive os escravos, rezassem o rosário todos os dias. As velas queimavam incessantes aos pés da santa e do crucifixo no oratório da sala. Gemidos enchiam a residência de um murmúrio tenebroso, e o constante cheiro de velas dava um aspecto de antessala da morte ao cenário. E realmente era, pois a família que se espalhava em diversas propriedades fizera do Engenho Natividade o seu hospital particular.

Entre uma bacia e outra carregada com roupas sujas que eram trocadas inúmeras vezes por dia, Umbelina apenas franzia a testa e olhava para Dasdô, que retribuía a mirada incrédula. Doutores estiveram na casa, com beberagens e remédios. Nada. À noite, decidiram que era hora de tomar coragem e agir ao modo delas. Foram direto falar com Anacleto. Os escravos das várias fazendas do Outeiro Redondo — todas pertencentes ao mesmo grupo familiar dos Tosta — se conheciam e se visitavam. Anacleto era um jovem pouca coisa mais velho que Firmino, filho do africano Urbano, já um velho cansado e com problemas pulmonares adquiridos na fornalha em que labutou a vida toda e que não o deixavam fazer mais quase nada. Anacleto aprendeu muito com o pai, com outros anciãos e pessoas da religião. Apesar da pouca idade, já viera de África com vastos conhecimentos. Consagrado a Obaluaiê, — o rei e senhor da Terra, conhecedor dos segredos da vida e da morte —, ele já estava aplicando seus conhecimentos medicinais na gente mais humilde e nos escravos.

Quando a peste acirrou sua ação, ele começou seu trabalho sempre de forma discreta para não atrair a ira e a represália dos senhores e dos homens da igreja. Não podia fazer muito mais pelos das senzalas, pois o acesso à água limpa não era tão fácil e a saída para procurar as ervas e utensílios certos também era muito dificultada. Mesmo assim, quem seguia minimamente suas recomendações alcançava resultados espantosos. Na medida do possível, foi livrando várias pessoas da morte certeira e a romaria a sua procura só crescia.

Foi ele quem enviou por Dasdô os remédios para Tito quando perdeu o braço, e para o velho Quim no castigo e foi ele também que conseguiu salvar a vida de Isabel. Anacleto protegera de contrair a doença os que foram obrigados ao asqueroso trabalho de se livrar dos corpos infectados. Disse a Tito, antes de começar os sepultamentos em cova rasa:

— Arruma uma maneira de convencer Moreno de colocar esses defunto longe do rio. A água num pode tocá neles. Se a água que nós bebe toca neles, num demora nós vai pro mesmo lugá: pra debaixo da terra.

Anacleto sempre dava um jeito. Tinha uma maneira de falar e de lidar com todo mundo, inclusive com os senhores, que o fazia conseguir quase tudo o que queria.

— É preciso fazê arguma coisa. Sinhá Joanna num aceita, Moreno tá vigilante e o padre num sai de lá, mas aquelas reza dele num vão dá jeito não! Mais um pouco e tamo tudo morto aqui — resmungou Dasdô, com um aceno de concordância de Umbelina.

Anacleto meneou a cabeça concordando em parte com elas. Enlaçou as duas num só abraço.

— Toda reza, Dasdô, dá jeito. Mermo que num cure o corpo, ela sara o coração. Mas calma, minha gente. Nada antes da hora é a hora. E foi cuidar dos afazeres de ferreiro que o ocupavam incessantemente. Deu três passos e, como que se lembrando de alguma coisa, voltou de novo para as duas, remexendo numa sacolinha de pano que levava cruzada ao peito.

— E enquanto essa hora num chega, ocês faz o favô de não pegá nas merdas e nos vômito. Enrola um pano limpo na mão pra pegá as coisa dos doente. Deixa água sempre quente por perto e lava tudo com ela. Faz um chá cum isso aqui, ó — E estendeu um punhado de folhas — e toma toda noite.

Dois dias depois, as lágrimas começaram a rolar no sobrado, pois tudo indicava que o major Carolino, irmão de Umbelino, não duraria muito. Chamando Umbelina a um canto, Joaninha, a esposa e prima de Carolino, resolveu tomar uma atitude mais radical.

— Ô Belina, eu sei que tens um curandeiro.

A escrava ficou sem jeito e um tanto apavorada.

— Num é curandeiro, ele é... — Foi interrompida por Joaninha.

— Não interessa o que seja — disse impaciente. — O fato é que sei que ele está ajudando muita gente a se livrar dessa doença terrível. Já ouvi muitos relatos até mesmo na cidade por algumas senhoras amigas. Traga-o aqui hoje à noite para ver meu marido depois que o padre e a avó Joanna forem se deitar. Eu estou lhe dando uma ordem, ouviu bem?

Umbelina assentiu com a cabeça e foi assim que Anacleto entrou no sobrado para medicar. Ele voltou por mais cinco noites seguidas, e na sexta o marido de dona Joaninha já apresentava novas cores no rosto e aparentava estar fora de perigo, embora ainda enfraquecido. Quando o major conseguiu ficar de pé, ele e a esposa pediram para chamá-lo.

— Mas como não quer nada em troca? Vocês sempre querem alguma coisa.

— A única coisa que quero, sinhô, é que me deixe cuidá dos meus santo. Eles só faz o bem ... e o sinhô tá de prova.

Anacleto começou desta forma seu reino, cheio de autoridade: uma casa simples ao lado de um rio, em meio a um matagal. Tinha seus horários e atividades vigiados de perto pelos senhores. Tudo tinha que ser discreto. Para lá corria muita gente, inclusive algumas senhoras, muito bem camufladas e protegidas por suas escravas. A nobreza do Recôncavo tinha sua versão negra e grande parte dela estava ali naquele local.

A rainha, o rei e a morte

Tantos casamentos entre primos, primas, sobrinhos, sobrinhas e tios — sem falar nos nomes repetidos por diferentes gerações — davam aos membros do grupo um mesmo aspecto que deixava no interlocutor a sensação de estar falando sempre com a mesma pessoa. Tinham baixa estatura e uma tendência a ganhar peso que nas mulheres se concentrava nos quadris. Seis anos depois da Revolta Praieira, na epidemia de 1855, dona Joanna, entrada nos sessenta anos, era uma matrona bem avantajada, mas, para seu horror, a rainha soberana das terras da "Freguesia do Outeiro Redondo, termo da mui heróica cidade de Cachoeira"[5] caíra doente um mês depois da recuperação dos netos. A cura deles, na verdade promovida por Anacleto, ela pôs na conta de Nossa Senhora da Natividade, e a quantidade de velas no oratório da entrada da casa daria para iluminar a cidade. Da mesma forma que a vinda da peste, ela creditava aos "maus olhados", às "feitiçarias" e às "bruxarias" da senzala.

Pois a senhora dona de tudo adoeceu da mesma forma que todos os que ela considerava inferiores. Ela perdera tanta água em evacuações e vômitos que seu corpo já era menos da metade do que era. Estava impressionantemente ressequida. Enquanto a avó tinha alguma voz para responder, a neta Joaninha tentou sugerir com muito tato a presença do mesmo "curandeiro" que os livrou da morte.

— Mais vale uma alma no paraíso do que na Terra por artimanhas do diabo! Toda essa peste é fruto dos olhos deles, desses negros horrendos e seus segredos em conluio com o Tinhoso! — dizia agarrada ao inseparável terço e mirando com olhos turvos na direção da imagem de Nossa Senhora da Natividade, que mantinha em um nicho em seu quarto.

Na senzala e nas turmas da plantação, o chicote riscava o ar como nunca. Era preciso pôr pressão para que produzissem, pois as baixas eram muitas e não era possível perder mais dinheiro do que já tinham perdido pelas covas

---

[5] Assim era denominado o Outeiro Redondo e a cidade de Cachoeira no século XIX. A expressão "heroica cidade" se deve à atuação de seus habitantes nas lutas pela libertação da Bahia, em 1823.

dos abatidos pela peste, pelo açúcar desvalorizado e outros dissabores que não estavam tornando fáceis as vidas dos donos de engenhos.

Se o bacalhau, aquele açoite inclemente, estalava pressionando os pretos, Firmino pressionava Roberto para que o ajudasse a organizar uma revolta.

— Moleque, nunca vi pessoa mais insistente que ocê!

— Tu num vê que a hora é essa? A família tá confundida com a véia doente, os pretos doente, o trabaio... se a gente pensá direito dá certo!

Firmino não perdia a chance de encher os ouvidos de Roberto, e a ele se juntaram outros, pois Moreno estava no auge. Não conseguiam suportar mais. A senhora se contorcia com dores que pareciam insuportáveis e uma noite deixou a todos aterrados na casa, pois não parava de gritar.

— Tirem a Amância daqui! Tirem essa negra daqui e esse seu filho sangrento amaldiçoado! Ela está aqui com o bebê ensanguentado no colo! Ela está aqui... Ela quer me levar! Tem muita gente aqui, muitos negros! Querem me acorrentar! Estão a dizer que nossa casa será destruída! Filipa veio da fornalha do sujo para arrancar minha língua! — e gritava desesperada.

Ninguém ousava entrar no quarto. Dasdô e Umbelina, na cozinha, diziam preces. Nos dias seguintes, as duas continuavam com as recomendações higiênicas dadas pelo jovem sacerdote, mas como não puderam ministrar as infusões que, ao que tudo indicava, foram fundamentais na recuperação dos outros, no dia 5 de novembro de 1855, dona Joanna faleceu. A matriarca mal pôde ser velada, pois o corpo estava muito mirrado de tanta água que perdera e coberto por coágulos verde azulados. A família foi obrigada a fechar o esquife e apressar o sepultamento.

Já no cortejo do enterro, o Coronel Umbelino cochichava ao ouvido do irmão Carolino:

— Vamos começar os trâmites para a partilha.

Dois meses após a morte da mãe e avó, todos os herdeiros estavam reunidos no engenho para o inventário dos bens e a partilha, com exceção de Manuel, que foi representado por procuração pelo irmão Jerônimo.

A família

O inventário dos muitos bens da família foi feito de forma relativamente rápida. Devido à peste, vários escravos foram remanejados entre as propriedades em compras, vendas, empréstimos e aluguéis. Desta forma, nem todos os personagens desta história figuravam nas fazendas que foram alvo dessa partilha. Também era preciso dar um jeito nas idades dos que chegaram durante o período após a proibição do tráfico. Todo cuidado era pouco, mas no início do ano seguinte, 1856, já estava tudo muito bem definido e dividido, com as mulheres herdeiras sendo representadas por seus maridos, que na maioria também eram seus primos.

A mulher de Carolino, Joanna como a avó, estava grávida e prestes a dar à luz. O casal Umbelino e Carolina tinham as crianças Benjamim e Ana Joaquina, enquanto os tios Manuel, Francisco e Jerônimo também tinham proliferado a prole. Todos com filhos que repetiam seus nomes, provocando sempre uma confusão na hora de contar as histórias familiares. Os escravos relacionados nominalmente na lista de bens, foram igualmente divididos entre os herdeiros.

Um dos escravos arrolados no testamento de dona Joanna, o velho José Hauçá, era um homem misterioso. Firmino, quando mais novo, sempre que podia puxava com ele uma prosa longa, pois voltava um pouco na infância, lembrando-se do senhor Daren. Ele conhecera Iseyin. Alguns diziam que José esteve envolvido nas articulações da Revolta dos Malês de 1835, que aterrorizou Salvador e tinha ramificações no Recôncavo. Os malês, como eram conhecidos os negros islamizados, pretendiam tomar o poder e fizeram a cidade tremer em janeiro daquele ano.

Quando ainda era Akin, Firmino lembrava-se das vestes brancas e dos hábitos de orações constantes, sempre segurando uma espécie de fio de contas. Tinha certo temor deles, pois eram muito sérios e reservados. Eles eram bons com números, liam manuscritos e raramente se dirigiam diretamente às mulheres. O velho José pareceu satisfeito quando ele mostrou o pouco que sabia da escrita e dos números e ensinou um pouco mais. Ele se recordava de hauçás no depósito de Ajudá e também no navio que os trouxe ao Brasil.

Não se sabe bem, mas talvez este hauçá tenha sido responsável por manter vivo boa parte do inconformismo de Firmino. Em seu primeiro ano no engenho, o menino tratou de estragar uma forma inteira de açúcar espremendo um limão. Descoberto, sentiu pela primeira vez o gosto do chicote, do tronco e dos ferros, que o deixaram numa posição infinitamente mais incômoda que no navio tumbeiro.

A agonia e morte de dona Joanna finalmente deram a chance pela qual ele tanto esperava, pois Moreno tinha deixado o canavial no comando de seu imediato, Antônio, já que estava envolvido com as providências do funeral da senhora. No cair da tarde, naquela luz em que os contornos estão indefinidos e quando se aproxima a hora de se recolher os trabalhadores ao alojamento, todos deixaram suas enxadas no chão. Antônio gritou do alto:

— Ainda não foi dado o sinal. O sino ainda não tocou. Todo mundo de volta pra enxada!.

De nada adiantou. Sete homens o cercaram, com exigências de falar com o senhor. Não sendo atendidos, surraram-no e seguiram com ele para o sobrado onde certamente pegariam a todos de surpresa. Roberto liderava a turma que marchava para reivindicar com os senhores com tochas acesas, pois a noite já havia caído.

Firmino estava com Isabel. Ela era parte do plano para atrair Moreno, e este seria seu enorme acerto de contas, não apenas com o feitor, mas por intermédio dele com toda aquela gente. Não estava se importando em morrer ou viver. Suava, arfava, ansiava por estar frente a frente e em pé de igualdade com aquele homem.

Na estrada que levava ao sobrado os escravos, que na fase de elaboração dos planos aparentemente seguiam as determinações ora de Firmino, ora de Roberto, agora pareciam ganhar uma força própria, e aquela energia foi impossível de parar. Explodiu como um tornado que não se avisa. A corrida até o sobrado já foi frenética, para espanto de Roberto. Afinal deu razão a Firmino, que sempre afirmava que estavam todos adormecidos pela dor e pelo cansaço do corpo, mas que por dentro ardia uma vontade. E talvez tivesse ocorrido algo que não é possível descrever, não fosse um elemento sempre presente nas rebeliões: a delação.

Cecília não queria a incerteza do que viria caso aquele plano vingasse. Não queria a sorte de cair em algum canavial ou nas mãos de outros donos que não sabia como seriam ou poderia ser presa, torturada e morta como parte daquilo tudo. Já conhecia cada mania, cada pequena crueldade e como lidar com aquela gente. Embora ainda fosse jovem, não iria recomeçar àquela altura da vida. E estando dentro da casa-grande, foi muito fácil fazer os senhores saberem do que estava para acontecer. Ninguém contava mesmo com ela. Ao servir a xícara de café habitual do senhor Umbelino, sussurrou o que estava por vir em seu ouvido.

Quando Roberto estava chegando com a turma da cana, já foi cercado por homens de Moreno, outros trazidos de propriedades próximas e policiais. Roberto foi preso junto com Crispim e outros. Firmino não estava com os que foram sitiados e não pôde ser acusado de nada, mas ficou cada vez mais na mira do capataz. Ele não podia provar aos senhores, mas sabia que no fundo era ele o autor de tudo aquilo.

— Sua culpa! Seu louco! — gritou Isabel, andando frenética de um lado para o outro, com as mãos na cabeça e chorando copiosamente, desesperada com a captura de Roberto. Isabel chorava o pranto do amor perdido. Ela sentia que não o tornaria a ver jamais.

— Tu num queria também, Isabel? Tu num aceitô? Ocê gosta do Moreno, do que ele faz? Num foi vosmicê que deu a ideia de ser isca pro monstro?

Mas a prisão do amigo estava doendo também em seu peito. No fundo, se sentia culpado. Armou outro plano. Desta vez para tirar Roberto, Crispim e os outros da cadeia. Não teve tempo: foram transferidos para Salvador e nunca mais tiveram notícias certas deles. Não se sabe se para provocar, amedrontar ou torturar, mas um dia Moreno disse, todo sorridente, que Roberto tinha sido condenado a chibatadas e não tinha aguentado o castigo.

— Morreu sangrando como o porco que era, dona Isabel... — atirou no rosto da moça, que sentiu o juízo saindo da cabeça de tanta dor.

Na folga daquela semana, Firmino não foi pescar. No meio do mato, recolhido do mundo, ajoelhado e de olhos fechados, ele retornou mentalmente ao navio que o trouxera àquele lugar. Lembrou o corpo falecido e podre acorrentado ao seu. Podia sentir seu peso, seu cheiro... e agora, se olhasse do outro lado, havia outro cadáver: o de Roberto. Pensava em ceder aos chamamentos de uma velha companheira que desde aquele tempo volta e meia tentava seduzi-lo para partir deste mundo em sua companhia. Pegou um punhal que estava no chão.

— Não é isso que faz um guerreiro.

Era a voz do velho José Hauçá.

— Tem alguém mais forte que a morte te chamando.

Firmino não tirou os olhos do chão.

— Quem, velho? Quem nessa desgraçada vida precisa de mim além desses desgraçado sinhô pra cortar cana, carregar fardo, puxar bois, levantar troncos...? Quem?

— A vida, fio. A vida precisa d'ocê.

Firmino se virou. Ele trazia pela mão Anolina, que estava crescendo e se parecendo com Gowon.

Esse negócio de ter família era complicado para quem era cativo. Como atar compromissos que poderiam ser desfeitos por qualquer motivo, qualquer capricho de um senhor que atuava como um deus em seus destinos? Mas a verdade era que ali estava se formando um grupo familiar reunido por laços de alma mais fortes que os de sangue. Umbelina era a mãe que Anolina nunca conheceu. Firmino e Isabel se tornaram tios, padrinhos, amigos, guardiões e qualquer coisa que significasse proteção. Os dois jovens se aproximaram na dor por Roberto.

Certa manhã, Isabel na beira do rio Paraguaçu estava tão desconsolada que partiu resolvida a fazer o mesmo que o velho José Hauçá evitara que Firmino fizesse. Atou uma corda com uma pedra pesada aos pés e se jogou. Ia descendo lentamente, sem luta, quando sentiu mãos poderosas puxando-a. Não fosse Firmino tão forte, iriam os dois para sempre morar no fundo do poderoso rio. A correnteza veloz, somada à pedra no tornozelo dela e à luta da quase afogada, deu trabalho a ele, mas ele era bom na água desde o dia em que, ainda menino, os senhores resolveram realizar um piquenique com as famílias, um "convescote", como diziam afetadamente, e fizeram uma competição usando seus serviçais. Ele e outros rapazolas com seus 13 ou 14 anos atravessando a nado até a outra margem do perigoso rio e os senhores apostando dinheiro. Juvêncio, um marinheiro do Engenho Pitangas, quase não conseguiu. Chegou semimorto e ainda foi repreendido pelo dono, que perdeu dinheiro.

Isabel e Firmino se jogaram na margem arfantes, exaustos e, passados os primeiros momentos de cansaço, ela desatou em novo pranto desesperado. Desta vez, ele não discutiu, não argumentou, não repreendeu. Deixou que ela desabasse toda a dor não só por Roberto, mas por uma existência. Quando sentiu que as lágrimas estavam começando a secar, ele levantou-se, foi até um canto, remexeu uma sacolinha e voltou com dois cigarros de liamba[6]. Os dois fumaram silenciosamente. Tinha ido até ali para sozinho fumar e pensar, quando deu com ela e sua tentativa de deixar a vida. Com um sol morno em cima deles, ele se virou de lado, puxou-a para junto de si, beijou-a ardentemente. Tiraram as roupas molhadas e fizeram amor como se não existisse outro dia para raiar.

Depois da peste, da morte de dona Joanna e dos incidentes da quase rebelião, a vida voltou ao seu curso nos engenhos. Isabel na barrela, Umbelina, Dasdô e Cecília na casa ensinando à pequena Anolina os afazeres domésticos que agradavam aos senhores, Firmino no corte da cana e em todas as coisas pesadas que aparecessem pela frente, volta e meia se estranhando com Moreno, que a essa altura já sabia que tinha novo rival. No entanto, Firmino e sua descomunal força eram por demais valiosos ao senhor e, como ficou provado no caso da revolta malograda, tinha uma sorte incomum. Não era tão fácil se "desfazer" dele.

Isabel engravidou seis meses depois de quase acabar com a própria vida. Em 1857, deu à luz um menino que ambos concordaram chamar de Roberto. Num domingo em que coincidiu a folga de Umbelina e Dasdô juntas, deixando a enfadonha Cecília de plantão na casa para atender aos senhores, ambas rumaram com todo o grupo para uma excursão: Firmino e outros homens, Isabel com o pequeno Roberto agarrado ao seu seio e Anolina se divertindo com borboletas

---

[6] Nome quimbundo para maconha.

pelo caminho. Chegaram a um casebre onde já estavam Urbano e Anacleto. No centro do terreno, gravetos e madeiras formavam uma pequena montanha. Era o dia da "Fogueira de Xangô".

Se os senhores reservavam os domingos para Deus, eles também... ao seu modo. Ali cantaram, dançaram, oficiaram e celebraram seus orixás. Ali, por algumas horas, foram eles mesmos dando passagem às personalidades de suas mais profundas raízes. Roberto, a quem chamavam Bebetim, foi apresentado. Nos búzios, uma grande preocupação e um alento:

— Sangue de dois está pra ser derramado... Mas ele (Bebetim) viverá livre.

Foi um dia especial, e se apressaram para chegar no horário certo, antes de anoitecer, de volta ao engenho. Os capatazes já aguardavam, preparados para alguma repreensão ou castigo, mas entraram rigorosamente no horário. Isabel aconchegou Bebetim ao seu lado na esteira. Firmino costumava se insinuar em sua baia tarde da noite, mas antes que isso ocorresse, outras mãos a tiraram de perto do filho.

Bêbado, Moreno a segurava e arrastava com força. Falava enrolado.

— Num sei o que tu vê naquele nego insolente, sua nega safada. Primeiro era aquele disinfiliz do Roberto, que teve o destino que bem mereceu e agora é esse aí que tem parte com o Coisa Ruim!

Ela fazia força na direção oposta. Quando a obrigou a descer um barranco, pois pretendia possuí-la na beira do rio, caíram os dois rolando. Ele a possuiu, mesmo desacordada, e saiu correndo cambaleante pela margem. Quando as lavadeiras a encontraram pela manhã, estava com a saia ensanguentada. Levada de volta à senzala, Umbelina e Dasdô atestaram.

— Ela perdeu a criança!

Com exceção de Dasdô e Umbelina, ninguém sabia que Isabel estava para ser mãe outra vez. Elas souberam na tarde que passaram na roça, mas não quiseram alertar, por conta do que disseram os búzios. Nem mesmo Firmino sabia e agora ele estava novamente em fúria. Queria matar Moreno a qualquer custo. Não teve negro, branco, pardo, crioulo ou africano, senhor ou escravo que o segurasse. Partiu reto na direção do feitor, que já o aguardava com o sorriso nos lábios, pois finalmente poderia se livrar daquele preto com a desculpa perfeita da legítima defesa. Apontou a arma, mas o gesto não parou o gigante que avançava feito um touro feroz em sua direção. Tremeu um pouco, e esse minuto de hesitação salvou a vida do jovem e acabou com a do velho, pois José Hauçá se interpôs entre os dois. Era o segundo sangue derramado em menos de 24 horas: o bebê de Isabel e o ancião de quem Firmino tanto gostava.

— Eu num tenho mais serventia, mas ocê tem muita — estas foram as últimas palavras que conseguiu dizer.

A confusão provocada por Moreno dessa vez parou no coronel Umbelino, que não quis saber quem começou o quê, quem provocou o quê. Não podia tirar a autoridade de um feitor branco e dar publicamente razão a um escravo na frente de todos. Determinou açoites para Firmino, e assim que as feridas cicatrizaram, acertou sua venda pelo alto preço de mais de um conto de réis para o Barão de Matuim. Apesar de tudo, ele valia bastante, por conta de sua saúde. Antônio substituiu Moreno como feitor-mor, e este passou a trabalhar em engenho dos Moniz e Aragão. Isabel estava outra vez sem seu amor, mas não pensou mais em suicídio. Agora tinha Bebetim e precisava seguir adiante. Os dois se despediram apenas com olhares úmidos.

Pedro de Alcântara João Carlos Leopoldo Salvador Bibiano Francisco Xavier de Paula Leocádio Miguel Gabriel Rafael Gonzaga – Dom Pedro II, o Magnânimo

A senhora Carlota Moniz Barreto de Aragão, a Baronesa de Matuim, segunda mulher do futuro Barão do Rio de Contas, fez as honras da casa, apresentando aos monarcas brasileiros o belo sobrado de três andares que lhes serviria de morada durante o período que permanecessem na cidade. Corria o ano de 1859 e nove anos passaram desde o fim da Revolução Praieira sufocada por Manuel Vieira Tosta. Terminada essa contenda, pareciam ter se encerrado os conflitos regionalistas que assolaram o país, e que aparentavam ser tão ameaçadores à unidade nacional, mas a parte de cima do mapa — Norte e Nordeste — seguia descontente com a política que vinha da corte. O Imperador Dom Pedro II era aconselhado constantemente a visitar a região, e assim o fez, numa longa jornada que incluiu Espírito Santo, Bahia, Sergipe e Pernambuco.

A baronesa, enfiada em seus apertados espartilhos e trajando suas melhores roupas, mostrava a construção de três andares ricamente decorada que era da viúva Moncorvo e tinha abrigado antes o pai, Pedro I, e hospedaria no futuro a filha, a Princesa Isabel. Esposa de Pedro Moniz Barreto de Aragão — futuro segundo Barão do Rio de Contas e filho do Barão do Paraguaçu —, a senhora Carlota fora escolhida a dedo para recepcionar as majestades. Ela e o marido foram dos poucos na região que participaram do jantar na capital da província, assim que o casal imperial chegou à Bahia. Antes, porém, auxiliada pelas grandes damas da região, destacou um rigoroso séquito de mucamas para que não faltasse nada aos ilustres convidados.

Dona Carolina, sobrinha e esposa do coronel, comandante da Guarda Nacional na área e presidente da Câmara dos Vereadores de Cachoeira, senhor Francisco Vieira Tosta, ou Barão de Nagé, também tinha mão de obra especial para ofertar. Anolina, àquela altura, estava com dez para onze anos e já mostrava um talento raro com as panelas. Dasdô e Umbelina lhes ensinavam vários truques, segredos, temperos... Mas a cozinha é uma feitiçaria e cada "bruxo" tem seu toque nato. Ninguém conseguia imitá-la, por mais que tentasse. A garota inventava coisas que ninguém mais pensaria para dar sabor aos pratos. E as mãozinhas negras de fada fizeram cocadas, bolos, mingaus e outros quitutes, que ficaram à disposição da comitiva imperial. A menina viu aquele homem muito alvo, alto, de olhos claros, ao lado de uma dama também muito branca e de olhos claros. Espiou tudo de longe, misturada aos populares nas ruas, ou apenas pelos vãos entre as saias longas do batalhão de cozinheiras escondidas pelas senhoras para que o imperador travasse contato com a criadagem apenas o mínimo indispensável. Aliás, por intermédio de seu diário de viagem, um dia todos tomariam conhecimento de certa admiração do imperador por não ver tantos negros durante a visita. Ainda em Salvador, escreveu:

"Esqueci-me de dizer que não tenho encontrado tantas caras escuras como esperava e que a Guarda Nacional não é muito negra, marchando sofrivelmente para o pouco exercício que tem, todavia aparecem de uma vez na mesma janela três ou quatro turbantes de negras minas."

Anolina sorriu, pois achou a imperatriz Tereza Cristina muito "baixota" e se divertiu achando que ela já estava quase do tamanho da nobre senhora. Os dois pareceram calmos e quietos aos olhos da menina. O que a divertiu mesmo foram os fogos, as bandas de música e a festa toda armada. Divertiu a ela e ao pequeno Francisco, como o pai. O filho do coronel estava com oito anos e ficou sob os cuidados de Umbelina e dela, enquanto os pais se ocupavam da extensa agenda que sacudiu a região por aqueles dias. Isabel, Bebetim, Dasdô e os outros ficaram nos engenhos, imaginando o que estava ocorrendo na cidade. No final da tarde do dia 5 de novembro, eles viram na margem do rio a embarcação do imperador passar seguida por vários outros barcos e engrossaram a multidão que dava vivas e acenava.

Cecília não se conformava por sinhá Carolina ter escolhido aquela moleca para cozinhar e Umbelina para cuidar do menino na cidade. A escolha aconteceu depois de um dia de temporal em que Umbelina, Dasdô, Isabel e outras mais fortes tiveram que pegar pesado na limpeza do sobrado, pois a água foi tanta que abriu buracos nas telhas gastas inundando grande parte da casa. Enquanto os homens reparavam o teto, as mulheres faziam a limpeza, e sobrou para a menina se virar com os doces de uma sobremesa, pois como se não bastasse, o coronel teria visitas naquela noite. Eram a Baronesa de Matuim, seu esposo Pedro Aragão e outros senhores que viriam já tratar dos arranjos para a recepção a Dom Pedro. Ela fez bolinhas de jenipapo, uma compota de doce de leite e outra de doce de banana. Pouco sobrou, e quiseram saber quem era a autora dos quitutes. Cecília já ia se apresentando, mas Isabel, com um empurrão, passou Anolina para frente. Desde aquele dia, ficou acertado que ela faria os doces para a comitiva. Isso lhe custou muitas horas de trabalho em pé, muitas vezes em cima de uma banqueta, debruçada em tachos de cobre e num calor inimaginável. Cecília foi destacada como ajudante, e Anolina ria irônica com a situação, para ódio daquela que deveria ser a mestra. Dasdô, disfarçadamente, observava tudo atenta. Sabia do potencial de sabotagem de Cecília. Mas isso não a impediu de provocar um acidente num cochilo das outras.

A cocada estava apurando no fogo escaldante, e ela, a pretexto de provar, encheu uma colher que deixou cair no braço de Anolina. O doce quente funcionou como uma cola que lhe arrancou a pele e quase a faz desmaiar de dor. A correria foi grande para socorrer a menina. A visita não tardava e o trabalho não podia parar. Ela que teve que passar o resto dos dias trabalhando apenas movendo um dos braços e a base de remédios dados por Dasdô, que assumiu o auxílio no lugar de Cecília.

Um dos doces que resolveu fazer foi uma cocada preta, que nada mais era que rapadura derretida e misturada ao coco ralado. Ela conseguiu um pouco de aguardente com um dos meninos do engenho, pois as do sobrado dona Carolina trancava e as chaves eram guardadas como tesouro, sempre no bolso da saia, exatamente como ensinou a sogra Joanna. A senhora sempre dizia: "Não quero nenhuma negra embriagada dentro da minha cozinha!". A menina pôs um pouco da bebida no doce, e o resultado foi surpreendente. Com a cabeça baixa, sem conseguir mirá-lo nos olhos e esperando a bofetada que levaria pelo gosto da cachaça na comida, Anolina tremia feito uma vara verde à espera da prova que os senhores fizeram antes de definir o que seria servido ao cortejo imperial. Coronel Francisco levou a pequena colher à boca, fechou os olhos para provar, esboçou um sorriso embaixo dos bigodes... E pediu mais! O alívio foi geral. As compotas foram acondicionadas em caixas de madeira dentro de uma charrete e também os ingredientes, pois se o estoque que fizeram acabasse, tinham com o que fazer mais. Esta função foi seu passaporte definitivo para a casa-grande e lhe deu o privilegiado camarote para os acontecimentos históricos.

Na cidade, as autoridades engalanadas já começavam a desanimar, pois a maré baixara muito e era provável que as embarcações não conseguissem aportar, mas às seis e meia da tarde o navio Pirajá atracava em Cachoeira e subiram a bordo o juiz de direito Cerqueira Pinto, o juiz municipal e delegado Trasíbulo da Rocha Passos e o promotor Pascoal Pereira de Matos. Os foguetes estouraram e todos explodiram na praça em aplausos, vivas e saudações. O imperador foi levado para um pavilhão iluminado de forma impressionante, cuidadosamente arrumado, e isto não escapou às suas observações de memórias. Meninas colegiais recitaram poesias, senhores fizeram discursos e por aí caminhava a extensa e enfadonha cerimônia para a garota, que tudo o que queria era saber se aquele homem grande, na frente do qual todo mundo se curvava, iria apreciar a sua cocada especial. Queria ver o sorriso embaixo da espessa barba, que ainda não era branca como a de muitos os que se inclinavam diante dele. Estaria feliz se os bigodes se levantassem como se levantaram os do coronel.

O coronel Francisco, presidente da Câmara dos Vereadores, saudou o monarca em nome de todos e lhe entregou as chaves da cidade. Umbelina e Anolina estavam juntas a outros pretos, bem atrás das fileiras que formaram, nesta ordem, os senhores e suas senhoras, funcionários públicos, comerciantes e brancos livres para ouvir as palavras de Francisco Vieira Tosta.

— "Senhor! A Câmara Municipal desta Heróica Cidade, pressurosa e mal podendo conter os entusiásticos sentimentos pela honrosa visita de Vossa Majestade Imperial e sua Excelsa e Virtuosa Consorte..."

— Consorte... O que é isso, tia Belina? — Um vozerio de chiados começou em volta para que a menina se calasse.

— "...vem depositar nas mãos de V.M.I as chaves desta cidade, como uma sincera homenagem de respeito ao Augusto Filho que, imitando a Seu Imortal Pai, dirige os destinos do vasto Império do Cruzeiro, como seu Magnânino e Perpétuo Defensor".

Francisco — o irmão de Manuel Vieira Tosta, o poderoso Barão de Muritiba, ministro da marinha, membro do Conselho de Sua Majestade, amigo pessoal do imperador e grande responsável pelo fim da Revolução Praieira de Pernambuco, bem como pelo apoio vital para o fim da Sabinada — não deixou passar a chance de exaltar e avivar na memória do imperador a bravura do clã e, obviamente, adular o quanto fosse possível.

— "... Se naquelas épocas calamitosas, em que o gérmen das revoluções se propagava em todo o país, os cachoeiranos, sempre intrépidos, puderam manter as instituições e demonstrar o amor que tributam à Augusta Dinastia, que felizmente nos rege, hoje que a conquista da civilização tem vigorado em seus corações as verdadeiras práticas do Governo Constitucional, qual não era o seu entusiasmo vendo o Soberano Brasileiro, Sábio Modelo dos Príncipes conhecidos, pisar as plagas deste solo. Este povo, Senhor, já uma vez honrado pela visita do Herói dos dois mundos, que sustentando duas Coroas, como desvelado Pai dos povos que o adoravam, as entregou a Seus Filhos enriquecidos de majestosos feitos, e de imorredouras recordações, se ufana de haver concorrido para essa magnífica empresa, quando aclamando a regência de 1822 e repercutindo depois o heroico brado de Independência ou Morte, demonstrou vivamente o seu amor à Augusta Dinastia de V.M.I.

São estes, pois, Senhor, os leais sentimentos que abundam nos corações dos cachoeiranos, que fervorosamente hoje se congratulam pela feliz saúde de V.M.I. e S.M. a Imperatriz e incessantemente dirigem preces ao Criador pela prosperidade, duração e brilhantismo da sua Augusta Dinastia de V.M.I."

A Guarda Nacional formou duas filas entre as quais os imperadores passaram ao se dirigirem à igreja Matriz. As fileiras de oficiais eram compostas em grande parte por membros da família dos donos de Anolina: o comandante, coronel Francisco, o filho Inácio, o irmão, os sobrinhos Carolino e Umbelino. Todos eretos e altivos, aguardando o imperador passar.

Na Matriz, o frei carmelita João do Carmo já havia deixado em local de destaque o "Santo Lenho", uma relíquia que diziam ser um pedaço da cruz de Cristo e que Dom Pedro beijou com todo o respeito e devoção. Todos ouviram o *Te-Deum*, o hino de ação de graças que era a oração pública e oficial da igreja.

Te Deum laudamus: te Dominum confitemur.
Te aeternum Patrem omnis terra veneratur...

"A Vós, ó Deus, louvamos e por Senhor nosso Vos confessamos. A Vós, ó Eterno Pai, reverencia e adora toda a Terra..."

Do lado de fora, todos trocavam animadas impressões sobre aquela incomum agitação na cidade. Ao saírem da igreja, foram para a casa que lhes serviu de paço imperial, sendo saudados com animados vivas pela multidão. Anolina saiu correndo bem antes do fim das cerimônias e já estava a postos na cozinha. No salão, o beija-mão do imperador e da imperatriz reunia a nata da sociedade cachoeirana até que, finalmente, o momento pelo qual a garota aguardava ansiosamente. A cocada foi um sucesso entre os nobres, mas o imperador comeu rapidamente foi um doce de goiabas, e dona Carolina foi bastante elogiada.

— É uma antiga receita de família — gabou-se ela entre as damas da corte.

A imperatriz, dona Tereza Cristina, retirou algumas moedas da quantia que levaram para dar em esmolas e doações para as igrejas do lugar, e assim deu "um agrado" aos da cozinha, que foi levado por um dos assessores da comitiva. E assim Anolina começou uma poupança que garantiria o recomeço de vida para sua filha e neta após a sua morte.

Entre as conversas, o imperador fez elogios ao calçamento, que era todo como o do Rio de Janeiro antigo, e o coronel Tosta deu conta de números do orçamento e dados da cidade. Disse ele a Dom Pedro que Cachoeira somada a São Félix tinha "uma população de 20 mil almas".

No dia seguinte, a comitiva seguiu para Feira de Santana, e o coronel Francisco o acompanhou, bem como o Egas Moniz Aragão e uma comitiva de muitos homens montados que cercaram o cavalo do imperador e o carro da imperatriz, que era puxado por sete animais entre os mais belos do lugar. Assim como em Cachoeira, as recepções pelo caminho foram igualmente grandiosas. Na viagem, os senhores e Dom Pedro tiveram a oportunidade de conversar sobre muitas coisas e o monarca se assustou com o fato de ainda não usarem o arado na agricultura, apenas deixando o terreno descansar entre uma cultura e outra.

Pela cabeça do imperador, tão amante das modernidades, poderia estar passando que tudo estava alicerçado no braço dos negros, nada na luz da ciência. Durante toda aquela viagem ao nordeste brasileiro, ele ouviu e debateu sobre agricultura. Crivou os senhores de perguntas e pelo que parecia não se deu por satisfeito com as respostas, pois decidiu criar algumas instituições para modernizar o setor, que estava em claro declínio na área. Ainda em novembro de 1859, foi criado o Imperial Instituto Bahiano de Agricultura, do qual os Tosta, os Moniz Aragão e outros integrantes da elite do Recôncavo foram membros desde a primeira hora.

Muitos foram os frutos advindos da visita do casal imperial, mas um dos mais saborosos foi que, no ano seguinte, em 14 de março de 1860, o comandante da Guarda Nacional de Cachoeira, Francisco Vieira Tosta, recebeu o título de Barão de Nagé, e dona Carolina passou a ser a baronesa do mesmo nome.

Voluntários da Pátria

Firmino já chegou ao Engenho Pitangas como criador de caso, logo, não teve vida fácil desde que pôs os pés na propriedade. Com ele, bastava um jeito de olhar, uma parada fora de hora, um meneio de cabeça. Qualquer coisa poderia ser motivo de um castigo severo. Sem contar que, percebendo este fato, vários outros se aproveitavam e não raro ele levava a culpa por maus feitos alheios. Percebeu que só venceria aquela guerra se fosse mais esperto. E finalmente começou a compreender por que a maioria dos negros nascidos no Brasil aprendia desde cedo a contornar ou negociar. Era uma questão de sobrevivência. Não que fizesse muita questão de viver naquelas condições que sempre considerou e sempre entenderia como humilhantes, mas agora não era mais só. Tinha, mesmo que a distância, uma família. E nutria esperanças de um dia ser livre com ela. Era preciso mudar as armas ou sucumbiria rápido.

Firmino decidiu aguentar firme sem retaliações. Ficou cada vez mais silencioso e fechado em seu mundo. Talhou em um pedaço de madeira uma frase em iorubá que aprendeu nas lições com o senhor Daren, em Iseyin: *Sùúrù ni atunse fun ohun gbogbo ni aye* ou "A paciência é o remédio para todas as coisas do mundo". Tinha poucas relações naquele novo local, mais hostil ainda que o primeiro. Por gosto, praticamente só falava com uma pessoa, um escravo de nome Fiel, que bem parecia honrar o nome, pois o livrou de uns tantos castigos injustos negociando com os feitores de um jeito falante e engraçado que só ele tinha. Com o tempo pareceram esquecer-se dele, pois fazia seu trabalho muito árduo calado e cumpria as ordens mais estapafúrdias com presteza, como na vez em que, depois de uma chuva forte, o designaram para aplainar a estrada até a casa-grande com Fiel e mais dois homens. Não teria nada demais se lhe dessem uma semana, mas o prazo foi de apenas três dias, pois o barão estava para receber ilustres visitas, membros da comitiva do Imperador do Brasil. Não precisou pensar muito e, com a ajuda de Fiel, montou uma grande peça de madeira, como uma enorme pá horizontal, à qual atou dois bois. A peça se unia aos animais por dois braços laterais e cordas.

Durante a montagem da tal coisa, os feitores acharam graça e deixaram que prosseguisse com aquilo, pois estavam certos de que em nada daria e ainda se divertiriam com os castigos que o preto sofreria por não ter executado a tarefa a tempo. Firmino montou tudo silenciosamente em um dia, sem protestar pelos deboches. Quando ficou pronto, dois dos homens destacados com ele para a tarefa se postaram cada um ao lado de um dos bois, e ele, o mais forte, ficou ao fundo, ajeitando para que plaina fosse alisando a terra numa boa profundidade para tornar a estrada homogênea. O excesso de terra ia sendo retirado pelo quarto homem e posto em uma carroça que seguia atrás, dirigida por Fiel. No mais, era torcer para não chover em grande quantidade novamente. Ao final do segundo dia, mais da metade do trabalho estava feito, e no fim da tarde do terceiro e último dia, a carruagem do barão andou sem tropeços, levando os convidados importantes.

Seu prêmio pelo feito foi tirar a vigilância cerrada de cima de seus ombros. Conseguiu ter algumas folgas aos domingos como os demais e pôde ter contatos esporádicos com Isabel, o filho, Anolina e outros amigos. A trégua nas confusões também lhe valeu um pouco da saúde de volta, pois no novo engenho conheceu Verônica, uma moça que trabalhava na casa e logo se encantou por ele. Ela contrabandeava comida extra, que Firmino divida com Fiel. No entanto, seu lado pacífico era apenas aparente. Por dentro, ele continuava com toda a ardente raiva que sentiu pelos senhores desde que saiu de Oió e pisou pela primeira vez em solo brasileiro. Aproveitou o período para se aperfeiçoar na capoeira, se fortaleceu e no fundo sabia que uma hora chegaria para dar vazão a tudo o que estava guardado há tanto tempo. Seus instintos voltaram a lhe alfinetar em 1864, quando o Brasil entrou em guerra. Foi por conta de uma acalorada discussão entre o barão e vários mandatários da região que Firmino soube. Verônica servia na casa-grande e ouviu a conversa.

— Num sei bem, Firmino. Eles gritava tudo que num iam dar nego bom pro trabalho pra se perdê na guerra. O barão ficou vermelho feito pimenta e sacudia um papé na mão dizendo que aquilo era um roubo. O Brasil tá numa peleja num lugá chamado Paraguai.

A partir dali, seu sangue parecia correr mais rápido nas veias. Ouvidos completamente abertos para saber detalhes daquilo, pois podia ser a chance que vinha esperando há anos. Praticou ainda mais a capoeira e tratou de procurar fortalecer a comida o mais que pudesse. Não perdia nunca a esperança de sair daquela condição. As notícias da guerra pipocavam. Souberam de um batalhão chamado de "Zuavos", tropas formadas apenas por negros, e ficavam indóceis para tomar parte, mas a chance só surgiria quase três anos depois. Foi Fiel quem lhe fez a proposta.

— Firmino! Ouvi na cidade que o governo ainda tá procurano nego pra guerra. Eu e Verônica já pensamo em tudo. Vambora pra luta, homi!

E assim armaram a fuga pra Salvador para dali uma semana, quando iriam buscar um quartel e se incorporar às tropas. Eram homens fortes e no auge da forma física. Firmino contava 24 anos e Fiel, 23. Uma vez no exército, sonhavam, seriam homens livres para sempre. No final, iriam alcançar seus objetivos, mas de formas impensadas e pagando preços altos.

Verônica amava Firmino. Há tempos não sentia por ninguém o que sentia por ele. No início, achou-o bastante estranho e rude, com aquela aparência de guerreiro feroz, aquele jeito calado e de poucos amigos, mas com o passar do tempo começou a admirá-lo e, principalmente, a entender o seu jeito de pensar. Sabia que o coração dele era de Isabel, mas tinha a vantagem de estar perto o suficiente para fazê-lo esquecer-se dela, nem que fosse por algumas horas. Verônica e suas artimanhas encontraram o plano perfeito para que os dois amigos fugissem, quando o escravo Justino conseguiu comprar do barão sua carta de alforria. Ela conseguiu que ele emprestasse o documento a ela, que na primeira oportunidade se apressou a levar para um liberto e famoso falsificador na cidade. Gastou as economias nisso e não se perdoaria pelo descuido que fez o plano todo ter um fim quase trágico.

Foi relativamente fácil. Na primeira ida ao mercado na cidade, ela procurou o falsificador, deu suas preciosas economias, para apenas trocar o nome do velho Justino pelos de Firmino e Fiel em dois falsos documentos assinados pelo Barão de Matuim. Era realmente impressionante. Quem olhasse não notava a diferença. Os três comemoravam secretamente, pois tudo estava indo bem. Uma vez no quartel e com cartas de alforria assinadas, já estariam dentro sem problemas, imaginavam. Firmino assegurou que pagaria a Verônica cada moeda com juros e que seria eternamente grato. Tiveram uma tórrida noite de amor, e ela voltou para seus afazeres no dia seguinte, triste pela partida dele, mas feliz porque achava que finalmente o tinha conquistado e pela liberdade que, não tardaria, ele daria a ela também com o que conseguisse no exército. Perguntada sobre o motivo de tantos sorrisos, ela começou a contar parte da história a Veridiana, sua amiga e confidente. As duas não perceberam que estavam sendo ouvidas pelo feitor.

No dia combinado para a fuga, os dois negros levantaram como todos normalmente, ainda no escuro. O plano era provocar um princípio de incêndio na plantação. A confusão e a fumaça facilitariam. Mas o feitor não estava lá, nem seus principais homens. Pensando que estivessem em alguma missão dada pelo barão, decidiram seguir com o plano que foi bem executado e já estavam correndo na mata próxima quando foram cercados por seis homens montados e armados.

Amarrado ao tronco e sangrando, Fiel já estava com um olho vazado quando Firmino apareceu portando um ferro enorme no pescoço. Estava "condenado" a usar o pesado artefato por seis meses. Quando acabaram os cem açoites, Fiel tinha as costas como uma massa disforme banhada em sangue. Ele não tinha a mesma fortaleza física de Firmino e ficou entre a vida e a morte por vários dias, sob os cuidados de Verônica e pretas velhas curandeiras na senzala. A "pena" de Verônica foi sair da casa-grande e ir para o corte da cana, mas não sem antes ter as mãos em carne viva por aplicações de palmatória. Verônica chorava e se culpava pelo ocorrido, jurando que a chance de pagar aquele mal apareceria. Um dia, quando Fiel já conseguia andar e suas feridas estavam no caminho da cicatrização, o barão o chamou junto com Firmino para dar uma notícia.

— Vosmicês vão para o exército.

Os dois escravos se entreolharam sem entender nada. No entanto, era simples. Depois de três anos de lutas e sucessivas baixas, as tropas estavam precisando de contingente e o governo estava pagando a alforria de alguns para engrossar fileiras nas tropas. Oportunidade perfeita para os senhores se livrarem de "peças" em más condições de uso, como Fiel, ou problemáticas, como Firmino. No fundo, o barão acreditava que nenhum dos dois sairia vivo da contenda. Um por ser fraco e o outro por ter um gênio indomável que lhe tiraria a vida na primeira briga interna. E foi assim que no ano de 1867, os escravos Fiel e Firmino passaram a integrar os efetivos da Guarda Nacional, transformados em "Voluntários da Pátria".

Brinquedos humanos

Nos anos em que Firmino esteve no Engenho Pitangas em relativa paz com os senhores, ele acompanhou de longe, nas poucas horas de folga aos domingos, a família no engenho dos Tosta. A maioria aproveitava a folga para fazer ganhos nos mercados, pelas ruas da cidade e assim juntar um pouco de dinheiro que fosse. Mas na metade do dia, alguns quase sempre se reuniam na beira do mesmo rio em que Isabel por pouco não perde a vida e em que ela e Firmino se amaram pela primeira vez. As crianças aproveitavam para se distrair em brincadeiras, e o casal para matar as saudades em algum canto escondido.

A cada encontro, Firmino reparava que Anolina estava mais alta e que seu corpo começava a mudar. Preocupou-se com a sobrinha. Sabia o que acontecia às negrinhas assim que começavam a "botar corpo". O filho do barão estava crescendo, ele era pouca coisa mais novo e ela bem poderia ser seu primeiro "brinquedo humano". De certa forma, ela já era parte de seu divertimento, pois entre suas muitas tarefas na casa, uma era a de brincar com o pequeno Francisco, que não se constrangia em mordê-la, esbofeteá-la e reproduzir com ela o que via no tratamento dos pais, avós e tios aos negros.

Certa vez, o menino cortou com uma faca as tranças de Anolina, que já estavam bem grandes e grossas, pois queria que ela parecesse um garoto. Isabel, quando viu o moleque com a faca enorme e afiada em uma das mãos e o cabelo da menina em outra, não conseguiu reprimir o grito. O barulho chamou a atenção de dona Carolina, que descansava, por estar com uma forte dor de cabeça. Irritada, a sinhá bateu violentamente em Isabel.

— Como se atreve a perturbar e interromper meu descanso por conta de tolices de crianças, sua idiota? Largue essas duas pestes e traga-me um chá de erva-doce!

E subiu para o segundo piso do sobrado, batendo os pés. Imediatamente, o garoto também estalou um tapa no rosto de Anolina. A menina chorou compulsivamente na cozinha e foi consolada por Umbelina, que lhe arrumou um pano colorido e amarrou num belo turbante à moda de sua terra natal, Ibadan. Francisco era um rei e o sobrado do engenho o seu castelo. Ele nunca estava errado, sempre tinha razão. Poderia fazer o que fosse.

Dona Carolina se mantinha cada vez mais apenas no quarto, pois suas dores de cabeça só aumentavam e o menino, quando não estava estudando com o tutor, ficava solto pela casa e em seus arredores fazendo o que bem entendesse. Em meados de maio de 1863 quando estava no alto da escada, dona Carolina deu um grito e caiu desacordada, rolando pelos degraus. Foi uma correria dentro do sobrado e mandaram chamar o médico na cidade. Quando conseguiram despertá-la, estava com o lado direito do corpo todo paralisado.

A Baronesa de Nagé era 15 anos mais nova que o barão seu marido e também sua sobrinha, filha de Cândida Maria da Natividade Tosta, uma das filhas da avó Joanna, falecida na época do cólera. Como já foi dito, é preciso que tudo fique dentro do mesmo círculo. Com 44 anos, a sinhá teve um derrame que a deixou imobilizada, com a fala muito comprometida e dependendo das escravas para quase tudo. Cecília foi destacada para atender diretamente dona Carolina e teve aí sua chance de desforra por anos de humilhações, com pequenas doses diárias de "esquecimentos". Esquecia-se de banhá-la, de levar-lhe o lanche da tarde e de encher sua moringa de água. Sabia os momentos estratégicos em que precisava dar a aparência de que estava cuidando bem da doente. Foi Umbelina, sem tirar os olhos da louça que lavava, que a fez "lembrar-se" das coisas.

— Ô Cecília... E se dona Carolina fica boa amanhã?

Não ficou. Foram aproximadamente dois meses de uma piora progressiva, até que em junho daquele ano dona Carolina faleceu. Beirando os 60 anos, o barão enviuvou e Francisco, o filho, ficou sob os cuidados de Umbelina e ambos sob a supervisão regular de uma tia do garoto.

No ano seguinte à morte da mãe, em 1864, quando estourou a Guerra do Paraguai, o menino completou 13 anos e Anolina, 14. O barão deu uma festa em que compareceram os filhos e filhas de toda a nobreza local. Ali o pai de Francisco começou a acertar um compromisso do filho com Emilia Carlota Bandeira, seis anos mais velha, mas filha de Francisco Bandeira, o rico e influente dono do Engenho Papagaio, em Santo Amaro. Foi um dia inteiro de comemorações. Na véspera, porém, Umbelina fora chamada ao gabinete do pai do rapaz. Cabeça baixa, sem mirá-lo nos olhos, ela ouvia suas determinações com aflição. Deveria preparar Anolina para dormir com Francisco na noite do aniversário. Na verdade, o senhor ia revelando, ela tinha sido mantida até aquele momento por perto e intacta para que fosse a "estreia" de Francisco aos 13 anos. O barão queria que a moça estivesse bonita para o filho e pediu para Umbelina "caprichar".

Assim que saiu do escritório do senhor, Umbelina correu para uma parte mais afastada da horta que mantinha no quintal. Pegou algumas ervas e foi ter com Anolina em um canto. Explicou a ela o que estava para acontecer. Não que a garota não soubesse os detalhes, pois sexo não era mistério para uma mulher escravizada desde muito cedo, mas não queria que a moça ficasse pejada. Entregou-lhe ervas para que ela ingerisse depois do fato consumado. Um verdadeiro coquetel.

— Come essas folhas hoje, em grande quantidade. Depois que tivé com esse sinhozim, toma um chá bem forte com essas semente aqui...

A festança foi da hora do almoço até o anoitecer. Anolina foi introduzida num quarto preparado numa casa afastada, utilizada pelos homens da família quando queriam ter conversas muito particulares, estar com alguma amante ou simplesmente se isolar. Ela foi devidamente banhada e perfumada. Isabel chorava, enquanto untava o corpo da moça com um óleo cheiroso. Lembrava-se de quando fizeram o mesmo com ela, mas para um primo de Francisco.

— Pare com isso, Isabé! A menina vai achar que isso é a morte! Num é pra tanto chororô!

— E num é, dona Belina?

— Num é não! Morte é o tronco, fia, a chibata, os ferro no pescoço... Se deitá com esse muleque feioso é fácil. Pensa nisso, Nolina!

Anolina teve os cabelos cuidadosamente trançados por Dasdô em fileiras simétricas, à moda nagô. Estava coberta apenas por uma fina camisola de algodão. Quando a festa acabou, ela estava só e trêmula no cômodo. Em um dado momento, o barão reuniu alguns homens da família e o aniversariante. Saíram cantando e bebendo ao luar. A moça escutou a porta sendo escancarada e arregalou os olhos. Não imaginava que teriam companhia.

Os homens entraram no quarto e mostraram a Francisco o "presente". Fizeram-na ficar de pé e tiraram sua camisola. Quando a peça de roupa caiu, ouviram-se aplausos, assobios e murmúrios. Ela fechou os olhos. Sentiu mãos apalpando-a em todas as partes íntimas. Os homens saíram para o cômodo anexo e deixaram Francisco a sós para desfrutar o "regalo". O rapaz ficou assombrado. Não imaginava que a menina magricela que costumava ser um de seus bonecos já estivesse assim por baixo das batas e saias. Coçou a cabeça, admirado e sem jeito. Aproximou-se lentamente dela e acariciou seu braço. Ela continuava de olhos fechados. Ele então encostou os lábios nos dela. Foi o que faltava. A timidez deu lugar à fúria e ele a jogou na cama e a possuiu de um jeito estabanado e violento.

Fora do aposento, os homens bebiam e se divertiam ouvindo os gritos de prazer do rapaz. Ela permanecia imóvel, como que congelada. Quando ele se sentiu satisfeito, dormiu com roncos altos e ela ficou ali encolhida. Os homens pareciam ter ido embora. Lentamente, ela se moveu para levantar-se. Sentia dores e queria fugir dali, mas foi puxada de volta para a cama com a tradicional violência e aquilo durou ainda até o dia clarear. Pela manhã, Dasdô já havia deixado do lado de fora um farto desjejum e a orientou que levasse até ele. O rapaz comeu com voracidade quase tudo e ofereceu um pedaço de broa a ela. Tudo o que ela queria era sair correndo dali. Ele se vestiu e seguiu a cavalo para o sobrado.

Anolina correu para verificar se as sementes que Umbelina lhe dera ainda estavam por lá. Vestiu a bata e a saia e saiu correndo para se atirar no rio. Queria se limpar. Misturou as lágrimas salgadas com a água doce. A dor foi lentamente dando passagem a uma raiva diferente, um sentimento novo que ela nunca experimentara. A primeira pessoa com quem topou foi Isabel, enxaguando roupas mais abaixo, junto com as outras lavadeiras. As duas se olharam, mas a menina não parou e, embora se roendo de curiosidade, a outra a deixou seguir. Saberia de tudo mais tarde.

Atravessou o pomar e entrou resoluta pela cozinha do sobrado. Foi recebida com olhares inquisidores de Umbelina e Dasdô e uma expressão sarcástica acompanhada de um sorriso no rosto de Cecília que foi respondida na hora, com uma agressividade que pegou de surpresa as três.

— Ocê tire esse sorriso dessa sua cara descarada, sua nojenta, ô conto pro Sinhô tudim que a falecida passou nas tua mão! — E Anolina partiu para cima de Cecília, agarrando-a pelos cabelos e enterrando seu rosto numa tina grande de água na cozinha com uma força e tão de surpresa que a outra não teve tempo de reagir. Dasdô e Umbelina correram para separar as duas, antes que alguém da casa viesse ver o que estava acontecendo.

A partir daquele dia, Anolina mudou. Ficou muito mais séria e um tanto irritadiça. Fazia suas tarefas na casa e não dava chance para Cecília em nada. Um domingo, Dasdô, que estava acompanhando a mudança da moça sem dizer nada, levantou-a da esteira ainda na escuridão e disse: "Vem comigo". As duas foram parar num terreiro. No mesmo em que Umbelina a tinha iniciado quando nasceu e sua mãe se foi.

A jovem Umbelina achou que tinha uma obrigação a cumprir: dar seguimento à tradição. A mãe era de Ketu e, embora mal tivessem tido tempo de falar sobre o assunto, ela entendeu que o elo não poderia se romper. Ela mesma saíra da África já iniciada e tinha que se virar em três para ocultar das católicas senhoras sua verdadeira fé. Assim que teve chance, com o auxílio do velho Urbano, de seu filho Anacleto e de vários outros, arrumaram um espaço.

Quando Anolina, ainda bebê, estava um pouco mais forte, em seu primeiro domingo de folga embrulhou a menina em panos, amarrou-a muito bem atada nas costas à moda africana e rumou numa caminhada mata adentro até um sítio escondido dos olhos curiosos e incriminadores dos brancos senhores. No caminho, estancou de susto. Um garoto pulou na sua frente. Era Firmino.

— Oxente, moleque!

E os dois caminharam uma hora, parando de tempos em tempos para descansar, limpar a criança, dar água e um mingau que Umbelina levou pra o bebê. Firmino sabia aonde iam e queria finalmente levar o fio de contas que pertenceu ao irmão e saber o que fazer com ele. Chegando lá, oficiaram os rituais que a consagraram a Oyá. Firmino foi orientado a continuar com o colar, pois ele era o guardião para alguém que ainda viria.

Agora, nesse ponto delicado da vida, chegara o momento de intensificar essa relação. Anolina estava perdida, se afogando na mágoa por ter descoberto o objeto que sempre fora. Por vários domingos seguidos, retornou com Dasdô, Umbelina e Firmino ao terreiro. Foi uma longa jornada, que teve que ser feita aos pedaços, pois não podiam se ausentar do engenho por longos períodos, mas que resultou em mais união entre eles e num sentido para suportar tantas provas em uma só vida.

Batalhas

No final do ano de 1867, Firmino e Fiel desembarcaram na região sul do país, logo após um esforço de saúde feito pelo Duque de Caxias para combater a epidemia de cólera-morbo que ceifou quase tantas vidas quanto a espada. Firmino lembrou-se, com um arrepio, da epidemia da mesma doença que assolou Cachoeira doze anos antes. Eles chegavam como muitos outros para substituir baixas significativas nas tropas.

Assim que travaram contato com o exército, levaram um susto. Enfurnados há anos nos campos do engenho do Barão de Matuim, apesar de saberem que muita gente estava fugindo para se alistar, nunca poderiam imaginar que tantos negros estavam nas tropas nacionais. Era impressionante. Mais tarde, saberia que por conta disso os paraguaios chamavam os brasileiros de *macacundos* e retratavam o imperador como um macaco com rabo.

O fato de grande parte dos praças brasileiros serem negros não fez Firmino sentir-se em casa — como, aliás, nunca se sentiu em parte alguma, desde que aqui chegou ainda criança —, pois também a esmagadora maioria do oficialato era composta por brancos. Aos seus olhos, tudo não passava de uma versão bélica do que se via nos engenhos.

Os dois se despediram logo na chegada. Fiel foi designado a trabalhar nos serviços gerais de um dos quartéis, pois além de estar cego de um dos olhos — sequela adquirida no castigo da tentativa de fuga —, tossia e se cansava muito. Firmino deu um longo abraço no amigo. Tinha muito para falar, mas só conseguiu dizer um tímido "agradicido". Algo lhe dizia que não o veria mais e era verdade, pois no inverno do ano seguinte Fiel perderia a batalha para a tuberculose, sucumbindo à doença que já havia começado a consumi-lo meses antes.

Enviado ao campo de batalha, Firmino foi substituir baixas na companhia chamada de "Zuavos Baianos", um batalhão formado logo no início da guerra, há três anos, e que recebeu doações de pretos libertos de Salvador para que fossem dignamente trajados. O nome foi inspirado em um corpo de guerreiros negros criado na Argélia, em 1831. No Paraguai, os oficiais dessas tropas eram também negros e Firmino achou o uniforme interessante. Todos usavam um fez, uma espécie de barrete, na cabeça, umas bombachas vermelhas com polainas, uma jaqueta azul com borda trançada de amarelo e um guarda-peito do mesmo pano.

Logo em seus primeiros dias, ao redor de uma fogueira à noite, Firmino ouviu fascinado a história de Dom Obá II D'África. Bebia cada palavra como se atrás delas pudesse tocar e pisar outra vez sua distante Oió.

Segundo contaram, Dom Obá atendia pelo nome de Cândido da Fonseca Galvão, era nascido no Brasil, mas era filho de africanos e, na realidade, neto do Alá Afim Obiodum, o poderoso último rei que manteve unido o vasto reino de Oió. Assim, Dom Obá era príncipe africano por direito de sangue. Disseram que, um ano antes, ele teve a mão direita atingida de forma irremediável e saiu da guerra.

Contaram sobre muitos feitos dele, como tinha liderança natural, sobre sua bravura e como sabia lutar. Falaram das batalhas do Tuiuti, toda travada em torno de um pântano onde caíam homens mortos como moscas. Quase perderam essa luta, mas o general, que era um gringo[7], ordenou que eles cavassem um fosso fundo que deu chance para a artilharia matar quase todos da cavalaria adversária.

— Foi uma sangueira! Teve uma hora que cada um lutava com o que podia. Era um tal de espada partindo cabeça, cortando braço... Era matá ou morrê! — Disse o praça Matheus.

Mas o batalhão dos zuavos não durou muito e Firmino foi incorporado na guerra a outras frentes de Voluntários da Pátria. Não tardou e teve toda a chance de usar sua destreza na capoeira, pois a eles não eram dadas armas de fogo. Tinham que brigar como podiam com as habilidades pessoais, punhais, espadas e qualquer coisa que lhes servisse de arma.

Os sulistas não recebiam bem os negros baianos destacados para a luta, e os conflitos eram sem fim. Um versinho costumava fazer troça deles e do vento frio que os fazia sofrer:

---
[7] O francês Emílio Luís Mallet.

— "Mandai, mãe de Deus, mais alguns dias de Minuano para acabar com tudo que é baiano".

Aquela hostilidade era uma batalha dentro das batalhas e, por sua vez, dentro da guerra. Em uma noite estrelada, deitado na esteira do acampamento, pensava sobre isso, sobre como sua vida se resumia a uma luta após a outra, quando Dionísio, adormecido a seu lado, foi acordado pelo alferes Luis com rispidez.

— Levanta, nego! Carregue minhas coisas que estão lá do outro lado para aquela nova barraca ali.

Dionísio era o capoeira da tropa que Firmino mais admirava. Rápido, ágil, preciso, implacável. Um elemento valioso nas lutas. Não aguentava que tivesse que servir de lacaio para aquele "fiozinho de coroné", como chamava o oficial que considerava covarde, arrogante e sádico. Vira Luis quase matar quatro praças que considerou faltosos no "marche-marche". A punição era especialmente dolorosa, pois os soldados tinham que marchar 50 metros duas vezes por dia, carregando mochilas pesando 30 quilos, e voltar em ritmo acelerado para o ponto de partida. Este "exercício" pode literalmente matar de cansaço. Estava pela gota d'água com esse oficial há tempos. E o copo de Firmino, que nunca foi muito fundo, transbordou.

Dessa vez foi mais rápido que Dionísio. Levantou-se num salto e ficou ali, entre os dois, com as mãos na cintura encarando o alferes, olhando-o de cima pra baixo, pois era bem mais alto. Apenas este fato já poderia ser considerado ofensa, já que assim como nos engenhos, mirar os superiores nos olhos era motivo de repreensão e castigos. Dionísio tentou colocar panos quentes, mas a discussão começou pesada. Os outros praças acordaram, outros oficiais vieram e bastou que Firmino tocasse o peito do alferes com uma das mãos para empurrá-lo que logo foi imobilizado e sentenciado à famosa pena de "surra de espada sem corte".

Firmino ficou no centro de um círculo formado pela tropa reunida. O oficial ofendido, Luis, recebeu o privilégio de escolher os dois soldados que, com espadas flexíveis e sem corte, iriam surrar o infrator. O alferes tinha 23 anos e era um pouco mais jovem que Firmino, que a essa altura contava com 27 anos. Ele não teve dúvidas e apontou sem titubear para dois dos melhores e mais fortes capoeiras da tropa, Leônidas e Dionísio. Os três se entreolharam como que para decidir naquela fração de segundo o que fariam. Luis sabia que estava, na verdade, impondo um castigo coletivo ao designar dois capoeiras companheiros de lutas para surrar outro.

 Firmino olhou o batalhão já maltratado por tantas batalhas, fitou os oficiais apartados e decidiu. Não valeria a pena expor tanta gente a mais crueldade do que já tinham que passar naquele exército, insuflando uma rebelião. Com olhares, os três concordaram. Fez um leve aceno de cabeça para os companheiros, autorizando-os a prosseguir. Estava frio. Era tarde da noite no sul do país naquele mês de agosto. Quando tirou a camisa e se ajoelhou para receber os golpes, foi impossível não lançar um olhar de espanto, tantas eram as marcas... Algumas finas pela ação do tempo e outras grossas e sobrepostas. Chamavam a atenção duas grandes calosidades simétricas, uma em cada lateral no final do pescoço. Elas eram fruto do longo período em que usou a gargalheira — uma coleira de ferro que prendiam no pescoço — como castigo pela tentativa de fuga do Engenho Pitangas. Ele fechou os olhos para receber os golpes e aumentar sua coleção de cicatrizes, que já não mais estavam apenas na pele, mas também na alma.

 Os dois começaram a espancar suas costas com as espadas de lâminas cegas. Filetes de sangue escorriam. Em um dado momento, ele tombou no chão. Um oficial médico veio tomar-lhe o pulso e bastou constatar que não estava morto para ordenar que Leônidas e Dionísio prosseguissem, mas Luis levantou o braço suspendendo a pena quando notou que poderia não só perder um elemento, mas levar à exaustão outros dois muito úteis.

 Firmino foi levado por Leônidas e Dionísio para dentro de uma barraca e tratado por um soldado índio que lhe aplicou compressas de umas folhas nas feridas, falando línguas estranhas. Todos o chamavam de Juca Terena. Por sorte, a companhia ficou acampada ali tempo suficiente para que as folhas do Terena fizessem efeito.

 — Firmino, o que vosmicê qué, homi? — perguntou Dionísio. — Se continuá a enfrentá assim, a arrumá guerra fora da guerra, num volta vivo. Foi pra isso que veio aqui? Pra se matar?

— Não, Dionísio... Eu só num consigo aguentá um fedelho desse, um fiozinho de coroné. É mais forte que eu! Mas tu tá certo. Ele se borra na hora que a luta chega e minha chance com ele inda vai chegá.

Leônidas balançou a cabeça reprovando e falou grosso:

— Ocê pára agora de sê burro! Vai engoli esse Luis borra-bota, saí daqui vivo e ganhá tua liberdade. É só por isso que a gente tá aqui. Pra consegui sê livre sem ter que viver com um merda desse no pé. Se ele quisé que tu pegue as coisa dele na casa das quimbamba pra levá pra casa das puta, ocê vai levá. E se quisé que tire da casa das puta e trazê de vorta pras quimbamba, vai fazê igual e se acabô!

Passaram dois minutos em silêncio e depois riram até que ouviram cavalgadas. Era um mensageiro. Logo ouviram o toque chamando todos para o centro do acampamento. Iriam partir logo. Foi o tempo de levantarem acampamento e rumarem para uma cidade chamada Santo Antônio, às margens do rio Paraguai.

Tinham a missão de fazer que o exército inimigo se afastasse da estreita ponte do Rio Itororó. E aí Leônidas, Dionísio e Firmino travaram a mais sangrenta batalha desde que se uniram ao exército, um ano antes. Na noite anterior, ainda esperando ordens, os soldados cantaram e dançaram em volta de fogueiras. Firmino mantinha-se em silêncio. Pressentia algo.

Foram necessárias seis investidas para que o exército brasileiro finalmente pudesse tomar a ponte do arroio do Itororó, um rio muito fundo e caudaloso, com uma ponte que cobre um caminho difícil, cheio de desfiladeiros e rochedos, com altura de três a quatro metros. Os paraguaios estavam obstruindo a passagem, e o Duque de Caxias armou uma estratégia de atacar os adversários pela retaguarda e depois pelo flanco leste. Firmino e os demais estavam no grupo que atacou pela retaguarda. Pensou que o exército paraguaio fosse muito maior, mas a inferioridade numérica não os impediu de terem sucesso nas primeiras investidas contra os cerca de 20 mil homens do Brasil. A trinca de capoeiras estava armada com lanças, com as quais eram muito ágeis. Quando um soldado da cavalaria paraguaia avançou para cima deles, Leônidas arremessou a lança certeira no pescoço do cavalo, que tombou arrastando com ele e outros. O tombo em cadeia pôs um grupo grande no chão, e aí, na luta corporal, eles dominavam.

Os três — Firmino, Leônidas e Dionísio — deram um grande prejuízo a Solano Lopez, o presidente do Paraguai. Em um dado momento, os corpos se amontoavam pelo solo, e um pântano de sangue misturado com terra, pedaços de corpos e gente morta tornava o cenário uma visão infernal. Firmino viu o oficial Luis na mira paraguaia e não fez caso. "Foi valente pra mandar surrar, também seria para se defender", pensou. Luis tinha um "camarada", um criado, que sempre o protegia e o acobertava no campo de batalha. Desta vez não funcionou. O tiro o atingiu em cheio no peito, e antes de morrer, o alferes ainda teve tempo de ver Firmino apunhalando um soldado adversário e empurrando o corpo para cima dele, que já estava caído.

A vingança teve um preço. Ele não viu quando atiraram uma lança na sua direção, e só conseguiu se desviar parcialmente. A arma lhe caiu na perna esquerda, provocando um ferimento grande. Na mesma hora, lembrou-se do irmão Gowon e da ferida que o sentenciou à morte. A essa altura, as tropas paraguaias já tinham sofrido enormes baixas e, liderados por Caxias na parte frontal, a batalha estava praticamente ganha. Dionísio arrastou para um canto Firmino, que se contorcia de dor com um pedaço da lança ainda encravado pouco abaixo do joelho.

O resultado do Itororó foi que o Brasil teve, entre mortos e feridos, 1.864 baixas, sendo que 149 eram oficiais. Somando com as 1.600 ocorridas do lado paraguaio, foram 3.464 mortes. Milhares de vidas destruídas e o começo de um trágico fim para aquele confronto. Aquela foi a primeira de uma série de vitórias da Tríplice Aliança, como foi chamada a união entre Brasil, Argentina e Uruguai, e que entrariam para a História como decisivas para a derrocada de Solano Lopez e o fim definitivo da guerra dois anos depois, em 1870.

Mais uma vez, Firmino se viu nas mãos de Juca Terena, que lhe extirpou a lança da perna e o pôs em condições de embarcar de volta a Cachoeira. A guerra terminara para ele com aquela ferida que custaria a curar e que o deixaria para sempre com dores devido a uma fratura mal tratada. Esse foi o preço pelo soldo que recebeu e pela liberdade finalmente conseguida.

Reencontros

Quando Firmino pisou outra vez em Cachoeira, corria o ano de 1874. Passaram oito anos desde o dia em que partiu com Fiel para se aquartelar. A guerra havia terminado há um bom tempo, em 1870. Depois da batalha de Itororó, ele ficou na região sul vivendo do pequeno soldo que custou muito para começar a receber, até que seu ferimento estivesse completamente curado. Estava acostumado às maiores privações e não foi difícil se acomodar junto a uma comunidade indicada por um dos pretos sulistas na tropa. Quando a perna lhe deu total segurança e depois de juntar um pouco de dinheiro com trabalhos menores, decidiu partir. Queria sentir o gosto de perambular livremente antes de voltar para a Bahia, pois sentia que precisava voltar um dia.

Resolveu tentar a vida por um tempo na corte e no barco que o levou ao Rio de Janeiro encontrou um velho de nome Theófilo, que seguiria viagem para Salvador e depois para o Recôncavo. Pagou a uma moça para que escrevesse uma carta e deu um troco ao velho para que a entregasse a Verônica. Não acreditava que a escrita chegasse às mãos da mulher que tanto o ajudara, mas não podia deixar de tentar.

A corte era muito diferente de tudo o que já tinha visto e vivido. Um lugar de vai-e-vem constante, com uma rua frenética e comprida chamada 'Ouvidor'. Ficou tonto na primeira vez que pisou naquele lugar, em 1872. Carruagens, homens com cartolas, mulheres elegantes com sombrinhas, esterco de cavalos, lojas com vendedoras falando em francês, confeitarias com finos doces e chás, sujeira atirada pelas janelas, *pince-nez*, luvas, rendas, escravas, escravos carregando, conduzindo, limpando, vendendo, gritando… O barulho era atordoante.

Por indicação do velho Theófilo juntou-se a um grupo de baianos numa área da cidade onde moravam muitos libertos e por onde passavam vários ganhadores, aqueles que trabalhavam na rua e davam aos senhores parte do que recebiam. A princípio, conseguiu um emprego evitado por quase todo mundo: "tigreiro". O ofício era especialmente repugnante, pois se tratava daquele encarregado de esvaziar o "tigre", um barril de madeira de tamanho médio que servia para a coleta de excremento das casas. A certa hora da noite, geralmente por volta das 20 horas, era a "hora dos tigres" — um cortejo de homens negros percorrendo as ruas até as praias próximas para esvaziar os dejetos da cidade. Os vasilhames não eram trocados com frequência e apodreciam, deixando vazar seu conteúdo no carregador, que ficava com as costas listradas pelo que lhes escorria do interior do recipiente pútrido. Daí o apelido "tigre". Nem só de trabalho viveu. Também se divertiu com as muitas mulheres que arrumou e, apesar da perna, arriscou-se na capoeira diversas vezes, pois isto lhe dava real prazer. A perna ferida na guerra começava a reclamar pelo peso imposto diariamente, mas o sacrifício lhe valeu a sobrevivência por um ano e meio, quando resolveu que era hora de voltar às origens. Era hora de retornar a Cachoeira.

Quando desceu do vapor no porto da cidade, assim que pôs seus pés em terra firme, um fantasma saído do passado se materializou: Moreno. Uma sensação estranha lhe percorreu o corpo. Ao mesmo tempo em que parecia que tinha decorrido um século, também sentia que partira no dia anterior. Depois de tantos anos, seus olhares se cruzaram novamente no centro da cidade e as mesmas faíscas riscaram o ar, mas o feitor seguiu seu caminho a cavalo sem dizer palavra.

A cidade não estava tão diferente assim, mas ele e a vida estavam. O velho Theófilo cumpriu sua missão e tinha entregado a carta, assim todos souberam que não tinha morrido em combate. Verônica a recebeu com alívio, lágrimas e o coração disparado. Nunca perdeu a esperança de revê-lo agora que estava livre. Dizia-se que um comerciante remediado se apaixonou perdidamente por ela e lhe comprou a carta. Ele sempre achou que Verônica era um especialista na arte de sobreviver. Umbelina e Dasdô estavam próximas dos 40 anos e os cabelos já começavam a pratear. Isabel seguia formosa, embora tivesse engordado um pouco. Seu filho Roberto agora era um jovem de 15 anos, alto como ele e que aparentava também ter-lhe herdado a força física. Dasdô naquele tempo também prosperou a prole. Teve tempo de fazer quatro filhos, um atrás do outro, três deles com o mestre de açúcar Mathias, que faleceu. O mais novo, Adônis, desconfiavam ser de Anacleto, pois ele e Dasdô andaram tendo "alguma coisa". Dasdô não confirmava nem desmentia, pois segundo ela, "não queria confusão". Ele estava com três anos e era o que se podia definir como uma "peste" de tão agitado. Anolina já era uma mulher feita, de 24 anos... E estava prenhe pela segunda vez.

Quando o grupo todo se reencontrou nas margens do rio onde sempre passavam os domingos de folga, Firmino permaneceu minutos intermináveis olhando para as quatro mulheres e para o rapaz. Voltando no tempo. Parecia que foi em outra vida que Anolina, criança, brincava com o bebê sob a supervisão de Dasdô e Umbelina, enquanto ele e Isabel fugiam para algum canto para matar um pouco da saudade. Chegou perto da sobrinha, abraçou sua barriga, e pela segunda vez naquela terra chorou copiosamente, assim como fez no dia em que ela nasceu e Ẹwà Oluwa morreu. "Não era possível", refletia. "Estava ficando muito mole". Seu pai jamais aprovaria tanta lágrima num guerreiro. O grupo todo o abraçou, entendendo sem precisar de palavras.

Quando passaram as primeiras emoções do reencontro, Umbelina o atualizou dos acontecimentos, pois quando Anolina foi o "presente" de 13 anos de Francisco, elas preferiram não dizer nada a ele para evitar mais desgraças. Essa também foi a época do longo castigo pela tentativa de fuga para a guerra. Mesmo que quisessem, não teriam como contar-lhe os detalhes do ocorrido. Umbelina então relatou que, a partir daquele momento, o jovem passou a usá-la quase todos os dias, mesmo depois do casamento com sinhá Carlota, a Iaiá Bandeira, mas a jovem tinha verdadeiro horror em engravidar e não descuidava nunca das ervas e sementes recomendadas. No entanto, quando um homem e uma mulher se deitam — disse — sempre existe esse risco, por mais prevenção que se tenha.

— Faz uns dois ano, um belo mês o "boi"[8] não apareceu. Quando o segundo mês chegô e nada do sangue, Anolina fez um chá brabo com uma das planta que usava. Tomou quase num gole e quase fervendo de tão desesperada que tava. Fio... foi um desassossego! Num deu tempo de ninguém fazê ou dizê nada. Ela bebeu e pronto. No dia seguinte, o sangue desceu quase jorrando... E a criança tamém. Por muito pouco essa minina num morre.

No mesmo ano em que Anolina apelava ao recurso extremo do aborto para não ter um filho do senhor, 1870, as mucamas de Emilia Carlota colocavam os últimos arremates e bordados em seu enxoval. Uma festança

---
[8] Como alguns chamavam e ainda chamam a menstruação.

como eram todas as que davam as grandes famílias da região marcou a união de dois sobrenomes de peso. O Barão de Nagé, então com 66 anos, viu o filho subir ao altar e no ano seguinte o nascimento do primeiro neto, Francisco como ele e o filho. Anolina, cada vez mais fechada e séria, achou que o casamento afastaria finalmente Francisco dela, o que aconteceu nos primeiros tempos dos recém-casados, mas não tardou para Francisco perceber que a mulher era religiosa além da conta e que isso seria um entrave. Ele cumpria suas obrigações conjugais e a prova era que ano sim, ano não, Emília estava grávida. Mas Anolina e várias outras não foram descartadas, pois quando engravidava a mulher não o deixava chegar perto. Embora sentisse muito por Anolina, pois percebia que ela detestava Francisco, Dasdô se divertia.

— Inhozinho arrumô foi um jeito de deixá Iaiá Bandeira ocupada o ano todo e ficá livre! Prenha ela se pega cum os padre e num pertuba ele — E soltava sua gostosa e grave risada.

O Barão de Nagé faleceu nesses primeiros anos de casados de Francisco. Esquecida por um tempo, Anolina conseguiu espaço para viver um pouco. Nos banhos de rio nos domingos de folga, divertiu-se proseando com outras moças e flertando. O tratador dos cavalos, carroças e marceneiro, Alexandre, há tempos estava de olho nela e viu a chance de se aproximar. Arredia a princípio, Anolina aos poucos foi cedendo ao "conversê" do moço. Os dois estavam, volta e meia, aos cochichos pelos cantos e Umbelina estava achando até bom que ela saísse um pouco daquele mutismo e mau humor em que se metera desde quando Francisco deixou de usá-la como brinquedo de criança para usá-la como passatempo de homem. Estava de namoro com Alexandre quando Francisco voltou a molestá-la. Mas estava em certa medida feliz e, embora seus sentimentos não mudassem, a coisa toda ficou menos insuportável. Até que outra vez a regra faltou, só que agora Umbelina estava atenta, e antes que ela tomasse outra decisão sem pensar direito, correu para consultar os orixás. Quando obteve uma resposta, disse a ela com firmeza:

— Anu, ocê num pode tirá essa que tá aí dentro. Xangô que pulou na frente e tá dizendo que não!

Assim estavam agora naquela dúvida cruel, sem saber de quem era a criança. Isabel ouvia o relato ao lado de Firmino, sem nada dizer, mas nesse ponto fez a observação mais inquietante: talvez nunca soubessem quem era de verdade o pai, pois Alexandre, todos diziam, era filho de uma escrava com o barão. Ele podia ser irmão de Francisco. Firmino coçou a cabeça e olhou para Anolina, recostada quieta numa sombra, chupando laranjas com Roberto. Sentia o sangue lhe ferver por dentro. Nunca imaginou que seu sangue um dia pudesse se misturar com o da gente que ele mais detestava em toda a sua vida. Começou a pedir internamente que aquilo não fosse verdade, que Alexandre fosse filho de qualquer outro.

Iaiá Bandeira e o novo Coronel Francisco estavam agora com três filhos. Todos nascidos em Salvador, pois tinham por lá um sobrado confortável onde passavam grande parte do tempo, mas estavam com muita frequência no Recôncavo, onde eles próprios, o primo Umbelino e a parentela numerosa tinham inúmeros engenhos. Iaiá era uma mulher do seu tempo. Sabia que seu marido tinha várias amantes e, muito provavelmente, outros filhos. As coisas, no entanto, não eram tão explícitas. A escravaria comentava entre eles, mas esses rumores chegavam muito de longe até ela. Ninguém arriscava o pescoço sendo o pivô de qualquer desavença entre os senhores. Ela apenas desconfiava da história de Anolina, pois reparava nos olhares do marido, mas ela estava sempre tão séria e fechada que nunca lhe deu a certeza absoluta. Quando soube que ela e Alexandre estavam "amasiados", achou que Anolina não fazia parte do rol das diversões do coronel.

Pelo seu lado, apenas uma coisa inquietava Francisco: a Lei do Ventre Livre. Desde setembro de 1871 que os filhos das escravas nasciam livres. A coisa era recente e ainda não havia nenhuma "cria" em idade de se emancipar, pois isto só ocorreria aos oito anos, se o senhor optasse pela indenização, ou aos 21, se decidisse ficar com a criança. Quando Anolina apareceu grávida, pensou: seu filho já não pertenceria totalmente a sua família como antes seria. A ideia de que o recém-nascido poderia ser seu filho ou seu sobrinho apenas surgia como algo curioso e divertido em sua mente.

Não se sabe bem o motivo. Talvez porque Emília Carlota soubesse do parentesco que o marido provavelmente tivesse com a criança, somado às culpas religiosas alfinetando sua consciência. Talvez porque Francisco a quisesse ter debaixo dos olhos. Talvez porque o jeitão calado e reservado da negra agradasse ou ainda por conta de tudo isso junto. O fato é que Anolina passou a ser a ama dos filhos do casal. Depois da metade de 1875, nasceu uma menina pequena parecida com a mãe, mas com uma formosura diferente. Firmino ainda não se conformava com aquela mistura e já estava disposto a repudiar a criança quando a viu pela primeira vez e não conseguiu reprimir uma exclamação de espanto: "Ẹwà Oluwa!".

Martha era muito parecida com a avó africana e isto foi ficando mais patente à medida que crescia. E, de fato, não conseguiram definir apenas pela aparência quem era seu pai. Seu tom de pele era mais claro que o da avó e o da mãe, mas tinha alguns traços que muito bem poderiam ter vindo de um ou de outro. No coração de Anolina, não existia dúvida. Ela era e sempre seria de Alexandre. Não considerava a possibilidade de ser diferente. Foi Dasdô, com seu jeito sincero, que pôs o ponto final na discussão e nas fofocas.

— Se acabô esse trelelê. Qualqué dos dois num vai dá o peito, num vai cuidá nem se sacrificá. Quem vai fazê isso a vida toda é ela. A fia é dela. Foi diferente com arguém aqui?! — E fez-se o silêncio.

Martha estava com meses de idade quando Iaiá Bandeira engravidou pela quarta vez. Maria da Conceição nasceu em oito de dezembro, na casa da família em Salvador. Anolina ainda tinha muito leite, e o peito passou da filha para a nova criança da senhora. E a infância das duas seria um resumo da longa vida que as uniria: Martha cedendo a Maricota afetos vitais.

Martha e Adônis
Segunda Parte

– Aqueles baianos eram um povo esquentado! Ninguém levava desaforo, não senhora!

– É mesmo, tia Nunu? Mas como?

– Não levando, ora! Está pensando o quê? Pensa que era essa vida facinha de vocês aqui? Se deixasse barato, podia morrer. Se não deixasse barato, podia morrer também, mas tinha uma chance. Era melhor não levar o desaforo, não deixar barato.

Raios no céu, tormenta na terra

Foi com a recordação de toda a sua história, da africana Iseyin até ali, que os facões se cruzaram em pleno ar, em setembro de 1888. Lâmina com lâmina, foice com foice junto à cerca do grande engenho de cana-de-açúcar. O capataz Moreno e o ex-cativo Firmino se engalfinhavam, dando vazão a um ressentimento cultivado por décadas. Além dos sons da luta, ouviam-se os gritos das mulheres e o estrondo de trovões que anunciavam uma tempestade. Firmino fora lanhado na altura do ombro esquerdo, mas partiu feito fera para cima do capataz, que se desequilibrou com o golpe e caiu no chão, rangendo entre dentes.

— Agora chegou tua hora, diabo!

— Diabo? Quem tem trato com o Sete Pele é vosmicê! Minha hora de quê, seu nego ladrão? Tá chegando é a tua vez de pagar por todo o prejuízo que vosmicê e seu bando de vadios dão a toda gente e ao sinhô Barão. Tu não passa de um monte de bosta — disse Moreno.

Moreno era um homem ainda forte e não aparentava os mais de 50 anos, dos quais para lá de 30 foram vividos como capataz em grandes fazendas da região. Estava acostumado às contendas com os negros e carregava pelo corpo várias cicatrizes da existência castigando rebeldes, caçando fujões, botando ordem em dezenas e muitas vezes centenas de escravos. Para ele, dar fim a mais um ou menos um preto não era problema. Por isso, quando Joãozinho o chamou aflito para resolver a questão dos bois com Firmino, o capataz passou a mão nas armas e partiu sem pestanejar para finalmente acertar suas velhas contas. Moreno ainda não podia acreditar que o governo tinha tido a coragem de soltar aqueles animais selvagens — como se referia quando falava dos escravos — para deixá-los sem controle e por conta própria. Sempre repetia que "aquela gente" não era capaz de nada que prestasse sem comando.

Desvencilhou-se de Firmino, rolou no solo e não hesitou em agarrar um punhado de estrume que estava ao alcance de suas mãos e esfregar no rosto do negro. Afinal, aquele "nego" já teve que se curvar ao seu chicote e agora estava ali, insolente e ingrato, pois — pensava Moreno — não fosse ele aliviar em alguns castigos, estaria debaixo dos sete palmos há muito tempo. Esse tal de Firmino, acreditava, devia mesmo ter feito um acordo muito bem amarrado com o Tinhoso.

Firmino, mesmo também beirando os 50 anos, chamava a atenção pela altura acima da média e pelos músculos talhados por anos na enxada e na guerra. O olhar penetrante, que tanto intimidava, desta vez também tinha sangue, e as veias saltadas pulsando num ritmo frenético por todo o seu corpo não falavam de toda a raiva que lhe consumia por dentro. Cada pontapé levava a resposta aos anos assistindo de muito perto ao trabalho meticuloso de Moreno. Era como se estivesse vendo naquele momento as costas retalhadas do velho Quim, amarrado no tronco para receber 40 açoites até quase morrer; os olhos desesperados de Isabel, ao ver o sangue lhe escorrer pelas pernas, quando por culpa dele perdeu o segundo filho; as mais variadas torturas e trabalhos pesados dos "amigos de nação" ou os que ele considerava família pelo simples fato de compartilharem a mesma sina.

Todas aquelas cenas lhe passavam rápidas na mente e não o deixavam pensar em nada que não fosse matar aquele capataz. Cerrava os olhos e podia ouvir o peito batendo no ritmo dos atabaques e do berimbau dos angolas que lhe ensinaram capoeira soando em sua cabeça, em sua memória, em sua alma. Eles ritmavam os golpes ágeis que desferiam sem dó contra Moreno. Podia sentir uma força de ferro lhe correr nas veias. Quase sem sentir, num gesto largo e automático, levantou o braço forte com fúria. A lâmina brilhou no alto de sua cabeça, adornada com os raios que riscavam o céu. Os olhos de Firmino se abriram esbugalhados e um urro saiu de sua garganta, misturando-se com os trovões. Já ia desferir o golpe fatal quando foi contido por outros cinco negros que vieram correndo assim que ouviram os gritos. Moreno continuava no chão se debatendo.

A certa distância ficou Joãozinho, assustado. Ele foi junto com Moreno cobrar satisfação dos libertos tão negros quanto ele, tão necessitados de sobreviver quanto ele. Não imaginava que as coisas chegariam naquele extremo. Queria proteger sua roça e seus poucos bois que eram tudo o que tinha na vida. Coçou a cabeça e ergueu os braços em sinal de impotência diante do grupo, que o encarou sem simpatia enquanto voltavam para seus afazeres, deixando Moreno no chão, surrado, desacordado.

Firmino custou a largar o facão. Foram necessários três homens para contê-lo, pois era extremamente forte, embora regulasse com Moreno em idade. Para ele, não existia meio caminho ou meio-tom. Era radical em tudo, e no fundo a maioria das pessoas concordava com Moreno quando este dizia que não sabia por que motivo e nem como o destino tinha preservado a vida daquele preto por tanto tempo.

As histórias de como se mantinha em tão boa forma, de como voltou vivo da guerra, de como escapava com vida dos castigos, brigas e rebeliões logo cresceram exageradamente na boca do povo e não demorou a correr por todo lado que ele tinha um pacto com o "Coisa Ruim". Outros diziam que tinha o corpo fechado por trabalho muito bem-feito numa roça escondida por aqueles matos. Nada disso ele desmentia. Gostava de manter essa aura de mistério em torno de si, pois isto afugentava desafetos, impunha respeito e tinha outra serventia muito prazerosa: fascinava muitas mulheres.

Firmino chegou ao Brasil ainda menino, mas nunca se acostumara totalmente com o modo como os crioulos — como chamavam os negros nascidos no país — conduziam as coisas com os brancos. Não gostava de como sempre tentavam negociar ou usar de estratagemas para conseguir o que queriam e, em sua opinião, contentavam-se com pouco, como se fosse muito, de tão acostumados que estavam com absolutamente nada. Nunca confrontavam. Para ele, o dia em que todos se juntassem e encarassem a guerra, não teria chance alguma de perderem.

Concentrava em Moreno o rancor que sentia por toda e qualquer pessoa branca, pelos mulatos que tudo faziam para embranquecer e por alguns negros que aparentavam servir aos brancos com gosto. Firmino não fazia concessões para nada e alimentava sistematicamente a revolta que o acompanhou desde a África, quando foi capturado e embarcado, até aquele momento. Reconstituía cada detalhe em relatos, sonhos e pesadelos. Não, ele nunca iria esquecer, e por isso avivava o carvão em brasa do ressentimento com muita paciência, persistência e zelo.

Martha: um rio e vários sonhos

Corria o ano de 1888. Ao longo daqueles anos próximos à libertação da escravatura, foram surgindo casebres mais próximos à senzala grande do Engenho Maracangalha, e junto deles, pequenas roças onde os pretos cultivavam toda sorte de gêneros para vender nas feiras da região. Depois da abolição, outros barracos apareceram para abrigar parentes e conhecidos dos que já estavam por lá.

Martha chegou à porta de um deles e teve medo. Teve pavor das nuvens de chumbo, dos raios que cortavam o céu, da gritaria, dos sons de luta que vinham de fora. No fundo, concordava com Firmino, mas estava com medo demais do abandono, da necessidade, da morte, da vida, da hora de dar à luz que vinha chegando. Sua barriga estava pesada, mas o coração parecia ainda mais difícil de carregar do que seu ventre adolescente. Seu sentimento de abismo e de beco sem saída era tão profundo que a sufocava.

Estava parada na porta como que aferrada ao solo pelo peso do útero e da pedra no coração quando sua mãe, Anolina, entrou correndo e agitada, despejando na mesa as mandiocas que acabara de colher para a amiga Dasdô. Sentia-se na obrigação de ajudar, de retribuir a generosidade da velha companheira, sua comadre, que acolhera a ela e à filha para ajudar quando chegasse a hora. Desatou a falar sem parar, contando cada detalhe da briga entre Firmino e Moreno. Disse que Joãozinho chamou gente pra carregar o capataz, que por ela podiam deixar aquele monstro por lá, mas que tinha medo da reação dos senhores, pois em sua opinião as coisas não tinham mudado tanto assim. Recriminava os negros, que não pensavam na vingança que certamente viria depois. Anolina só parou de falar quando viu a filha suando muito, com os lábios brancos e respirando com dificuldades.

— Dasdô! Dasdô do céu! Por Nossa Senhora, Dasdô! — correu chamando a amiga.

Maria das Dores se tornou aparadeira famosa. Tinha posto no mundo gente rica e pobre, gente branca e preta. O suor que começava a ensopar o rosto de Martha era gelado. A tempestade acontecia fora e dentro dela ao mesmo tempo. Agoniada, Martha andava de um lado para o outro, fazendo mentalmente a mesma pergunta formulada por Joãozinho depois da briga entre Firmino e Moreno: "O que será agora...?" E os clarões acompanhavam o tumulto do seu peito e a tormenta em seu espírito.

Anolina e Martha eram personagens que gravitavam naquele planeta feito do solo preto de massapê, açúcar, cana, fumo, engenhos, religião, lutas e ressentimentos antigos. Uma mistura bem separada, se é que isso é possível. Viviam na tensa linha que deixava de um lado o universo de quem manda, e de outro o de quem era mandado. Tudo tinha sido muito claro até pouco tempo atrás, mas não naquele momento em que os negros estavam livres e ninguém mais sabia quem era quem. Estavam vivendo tempos duros. Quem depois de liberto queria ir para a lida da cana, aquele inferno na Terra? Mas, ao mesmo tempo, era preciso sobreviver, e isso era coisa para conquistar um dia de cada vez.

Roubos, acusações, lutas, debandadas, polícia, milícias e violência, muita violência. Era isto o que estavam vendo para todo o lado que se virassem. Não que já não estivessem acostumadas a ver e viver na pele a dureza daquela vida, mas agora era diferente. O gosto da liberdade uma vez provado não sai da boca, de modo que, apesar das mazelas, tudo valia a pena. Mesmo para Anolina e Martha, criadas na casa-grande, junto das sinhás e com algumas regalias na visão de quem estava na senzala maior, trabalhando no canavial, na plantação de fumo ou pescando e remando rio abaixo e rio acima. Só elas sabiam o preço que pagavam a Iaiá Bandeira, de quem ainda muito será dito nesta história.

No planeta feito de açúcar e fumo, a terra era a extensão do próprio ser. Existia quem a tinha. Quem já cultivava um pedacinho de solo há tempos, depois da abolição, por lá ficou, acreditando que agora a terra lhes pertenceria. Um pouco antes de maio de 1888, o Barão Moniz de Aragão, o dono de muitos engenhos e daquele em que estavam naquele momento, mudou-se para outra propriedade e passou a comandar tudo de lá. Sem o "olho do dono", aos que ficaram juntaram-se outros vindos de toda parte. Estavam entre estes os novos moradores Firmino e Dasdô, tentando se livrar da proximidade com os Tosta, e também Anolina e Martha, que rodaram quase metade de um dia num carro de boi que as levou de São Félix até o Maracangalha para ficar com ela, pois a barriga da menina estava crescendo, e era a melhor parteira que conheciam.

Moreno era um dos capatazes de confiança do barão e começou a usar de seus famosos "métodos" do tempo do cativeiro para forçar o trabalho no canavial e sabotou o quanto pôde as roças, que garantiam um meio de vida alternativo para a população liberta. Deu ordens expressas para ninguém consertar as cercas do pasto. Desta forma, os bovinos invadiam e arruinavam as minúsculas plantações, dificultando muito a sobrevivência naqueles dias já tão complicados. Em represália à ação do capataz, a plantação de cana ardeu em chamas muitas vezes. Os negros entravam no canavial à noite para incendiar e penetravam no pasto para desviar o gado.

— Ói... Isso não é nada perto do que devem a toda gente aqui. Esses boi num tem direito de estragá tudo! — gritava Firmino quando chegava com um novilho, que era repartido entre todos, mesmo os que não queriam se envolver nas matanças dos bovinos dos senhores, como era o caso de Joãozinho.

Para Firmino, estava óbvio que tudo era ordem do barão, que se fingia de compreensivo pelo medo que tinha deles, pretos, pois estavam em maioria. No entanto, para muitos, Moreno estava agindo por conta própria e fazendo justiça à sua moda. E assim, na base das retaliações, viveram por meses. No entanto, acabaram por matar e ferir cabeças de gado que pertenciam a gente recém-liberta como eles. Joãozinho a muito custo conseguiu umas duas ou três, que acabaram entrando na guerra surda entre senhores e ex-cativos.

Martha estava certa em temer. Estavam mesmo em uma batalha. Para proteger suas plantações da invasão do gado, eles se revezavam vigiando. Um trabalho cansativo e sem fim. Ela e a mãe também conservavam uma pequena roça no engenho de onde vieram, mas até quando conseguiriam manter-se em meio ao caos que se instalara?

Os clarões continuavam assustadores e um vento forte começou a soprar. Martha não sabia se ficava de pé, sentada ou deitada. Parecia incrível que conseguisse dar atenção a qualquer coisa que não fosse ao incômodo e à cólica mais cruel que jamais sentira, mas entre um espasmo e outro, sua mente insistia em voar para o dia em que tudo começou. Ali, no pôr do sol, às margens do Paraguaçu, um ano antes, em 1887.

Foi um domingo duro ajudando sua mãe, Anolina, vendendo na feira o que cultivavam na pequena roça do engenho contíguo ao Nossa Senhora da Natividade do Capivari, na agora freguesia do Senhor Deus Menino de São Félix, da Comarca de Cachoeira. A feira era um lugar atordoante para os sentidos. Uma multidão entre moradores e viajantes, apinhada, num vai e vem frenético. Cores e cheiros de toda sorte e produtos expostos no chão, em tabuleiros, nas amuradas. Mandioca, milho, bananas, canas, caldos, acaçás, acarás, queimados, mel, farinha, galinhas, peixes, fubá, bolos, refrescos, garapas, carnes, verduras, mingaus, pano-da-costa. Um vozerio tremendo e uma agitação sem igual. Martha pensou que, àquela altura do dia, tinha direito a um pouco de sossego na beira do rio. Aquele era um lugar onde gostava de deixar o pensamento voar. Imaginava onde as embarcações iriam parar e que pessoas levavam e traziam. Inventava mentalmente histórias sobre os visitantes e tripulantes ou simplesmente admirava o desenho que as embarcações deixavam na água.

Sempre se sentava naquele mesmo local, debaixo de uma pequena árvore, observando o largo rio e comendo alguma coisa do tabuleiro de sua mãe. Muitos saveiros atracados com suas imponentes velas tremulando ao vento, barqueiros deixando em São Félix pessoas que embarcaram na Escada das Canoas, na vizinha Cachoeira, o céu quase sempre muito limpo naquela época do ano, os barcos que singravam as águas. Tudo isto enchia de vida a paisagem, que ainda tinha o belo casario das duas cidades para enfeitar. No cais, também embarcavam e desembarcavam mercadorias vindas de São Salvador e de outras localidades às margens do caudaloso rio, comerciantes, gente local e vários estrangeiros. Alemães e ingleses não eram raros por aquelas bandas, visto que o famoso fumo do lugar fazia as fábricas de charutos prosperarem na freguesia há mais de 220 anos.

No cair da tarde, a paisagem adquiria aquele tom alaranjado de que tanto gostava, em contraste com a cor escura das águas. Estava acostumada a navegar nas pequenas embarcações da região e a atravessar de um lado para o outro, onde ela e a mãe também vendiam artigos, doces e faziam pequenos serviços com frequência. Todo mundo dizia que aqueles eram os cantos mais ricos de toda a província da Bahia depois da capital. Mas nunca tinha ido a Salvador.

Estava tão mergulhada nessa função de sonhar de olhos abertos que levou um grande susto quando ele chegou macio, com piso leve, sem fazer barulho. Ficou com mais raiva ouvindo a gargalhada que soltou ao vê-la tão apavorada.

— Ai! Não tem nada o que fazê não, Adônis?

— Calma, garota! Calma! Foi só uma brincadeira.

— Ah, zoada muito da sem-graça, seu nego gabola...

Depois de um pequeno silêncio, caíram os dois na gargalhada. E depois, amigos, admiraram por instantes o movimento do rio. Ela revelou a ele a vontade de ir a Salvador para matar a curiosidade e saber se era verdade tudo o que diziam sobre as igrejas, as praias, as festas, as gentes, os ricos solares. A sinhazinha Maricota dizia que muitas pretas se vestiam mais lindas que muitas sinhás e que eram bonitas em seus turbantes e pulseiras, vendendo toda sorte de comidas e coisas pelas ladeiras e ruelas. Ela contava também das igrejas adornadas com ouro e prata e santos lindamente entalhados. Adônis ouvia tudo pacientemente, mas não tinha esse mesmo desejo.

— Pra quê, essa menina? Não tá vendo quanto barco, quanto navio, quanta riqueza aqui mesmo? Não é preciso ir pra Salvador, formosinha. Não tarda e a gente não vai mais precisar trabalhar pra eles, não! Todo mundo vai ter sua rocinha, seu pedacinho de chão...

Os dois tinham afinidades em muitas coisas, mas nisso não concordavam. Martha não entendia como ele não ficava curioso com a capital. E pela primeira vez ele quis explicar. Disse que andava curioso era para saber o que iria acontecer ali mesmo, pois entendia que estava chegando a hora de o cativeiro acabar. Adônis tinha uma forma bonita e fácil de falar. Dizia que eles tinham nascido do ventre livre, mas que todo mundo veio ao mundo livre e que só eles — e meneou a cabeça indicando dois homens brancos que passavam — pensavam que não. Quando ele terminou de explicar o que motivava sua falta de interesse por outra coisa que não fosse o fim da condição dos escravizados, voltaram a admirar a paisagem em silêncio e foi ela quem o quebrou.

— Acredita mesmo nisso? Quem te disse que sou livre? Com mainha pra cima e pra baixo, numa lida pesada... Que dia é hoje, Adônis? Domingo.

Água de barrela

Os branco estão tudo na missa, balançando na rede da varanda e nós aqui. Isso é falação desse povo que vosmicê anda metido. Mainha sempre diz...

E neste ponto começaram uma discussão, pois na opinião dele tudo o que Martha dizia nada mais era do que o pensamento da mãe. Continuou exaltado, dizendo que não era a primeira vez que conversavam sobre esse tema e que não conseguia ver nas palavras dela a sua verdadeira opinião. Adônis tentava convencê-la, dizendo que era exatamente isso o que os brancos queriam, ou seja, que eles não pensassem. Aliás, dizia ele, os brancos tinham total certeza de que eles não eram capazes de entender nada e por isso abriam a guarda em muitos momentos, falando perto deles sobre as questões de política.

— Escuto muita coisa a furto e leio também. Sei que eles sabem que vão perder muito porque somos nós, Marthinha, nós é que damos tudo o que eles têm. Eu escuto, eu escuto! — e apontou o indicador da mão esquerda para o ouvido direito e o da mão direita para a testa.

O xeque-mate foi ela quem deu, quando disse que ele aprendeu a ler, a escrever e a fazer discurso, mas não aprendeu a enxergar.

— Se eles pensa que ocê que é homi num entende nada, imagina eu? Perto das mulé, eles fala ainda mais — e apontou o indicador da mão direita para o ouvido esquerdo e o da mão esquerda para a testa.

Ele sorriu sem nada dizer e balançou a cabeça de um lado para o outro, ponderando. Estava surpreendido. Até aquele momento a considerava apenas uma menininha linda, mas nunca tinha pensado nela como nada além de uma criança, embora ele próprio não fosse tão mais velho, pois estava com 16 anos. Antes ela era uma moleca com quem ele gostava de implicar, desatando uma das várias fitinhas que prendiam os pequenos coques do seu cabelo, roubando uma bala de suas mãos ou brincando de atirar pedrinhas no rio, como se fosse uma irmã mais nova. Notou de repente que ela estava se tornando uma mulher e com mais espanto viu que essa moça o atraía tremendamente. E então chegou mais perto e, olhando dentro de seus olhos grandes e negros, pegou nas mãos dela, beijou-as e sorriu.

Martha ficou constrangida. Pensava, com o coração acelerado, que ele não poderia ter feito aquilo. Não poderia ter dito que ela era formosa.

Não podia ter sorrido mostrando aquelas contas brancas dentro daquela boca que não a deixavam tira-lo da cabeça. Adônis pescador... Sempre no mercado fazendo todo tipo de "bico" que aparecesse. Bonito e inteligente. Falava, argumentava, gesticulava. Parecia até um doutor! Sentia alguma coisa por ele que nunca sentiu por ninguém. E não sabia o que fazer com ele assim tão perto. Ficou ali, presa naquele rosto e naquelas mãos. Podia ver como seus olhos tinham uma coisa de ímã. Levantou-se num salto e correu uns metros, mas foi cercada. Ele a segurou pelos ombros.

— Ouve!

De repente, um batuque forte ecoou não muito distante.

"'Me deixa, me deixa / Me deixa eu sambar / Por Nossa Senhora, me deixa!"

Um samba de roda ritmado pelas palmas e pelo atabaque. Ela abriu um sorriso. Como gostava de samba de roda! E num impulso, começou a dançar. Ele se afastou só para olhar. Quando Martha percebeu, voltou a se retrair.

— Ah, continue! — e Adônis colou o corpo no dela.

Assim podia ver como era alto. Por uns momentos, ficaram naquela dança, naquela caça que só terminou com o dia clareando e dourando as águas do Paraguaçu.

Anolina: com um olho fechado e o outro aberto

— Anda, Martha! Força, fia! Força!

A voz de Anolina a arrancou das lembranças e a fez sentir novamente que suas entranhas estavam se abrindo. A dor aumentava, e o intervalo das contrações também. Nunca tivera um filho antes, mas sabia que alguma coisa não ia bem. A dor era grande demais, e a cara de Dasdô, que era avó da criança que estava por vir, era de muita aflição. Até que a viu puxando Anolina a um canto.

— Anu, esse petiz tá em posição ruim. Vamo trabalhá, mas vamo pedi também.

Anolina olhou Martha por cima do ombro de Dasdô. A menina gritava e se contorcia.

— Ah, Dasdô, salva minha fia, salva... — ameaçou chorar e Dasdô se espantou. Sua amiga não era disso. Ela era a pessoa mais forte que conhecera em toda sua longa vida. Não se lembrava de ter visto uma única lágrima cair daqueles olhos que não fosse de raiva. Depois de tudo o que passou com o Coronel Francisco, Anolina era o tipo de pessoa que nunca relaxava. Como dizia, ela dormia com um olho fechado e outro muito aberto.

— O que é isso agora, Anu? Tu tá escolhendo a pior hora pra ficá molenga, muié. Se aprume! Ela precisa d'ocê. Bota o joelho e a cabeça no chão, fia. Bota o joelho e a cabeça no chão!

Enquanto a filha sofria banhada em suor, Anolina se preocupava e pensava que ela era ainda muito nova... Tinha apenas 13 anos. Faria 14 em dois meses. Para ela, a Martha teve a sorte de nascer depois da tal lei que deixava livres os bebês, os "ingênuos". E agora, refletia, já fazia quatro meses que os escravos tinham sido oficialmente libertos. Quando anunciaram a lei, foi uma festança, uma zoada, uma alegria... Mas ela sentia que o negócio não estava bom. Não era essa a liberdade que eles queriam. Sem trabalho, sem terra, com a polícia no pé, com medo do presente e do futuro.

Quando Martha chegou naquela manhã na companhia de Adônis, não gostou. Depois de lhe dar umas boas varetadas com o marmelo pela preocupação que a fez passar uma noite em claro à procura dela, esquadrinhou o moço de alto a abaixo e voltou no mesmo caminho do pé até a cabeça. Adivinhou tudo num olhar. Anolina desconfiava sempre. Apesar de tudo, sua condição era difícil. Tinha que trabalhar de sol a sol no sobrado do engenho e no domingo, que deveria ser o dia do descanso, trabalhava na sua roça e vendia as coisas no mercado e mais além. Não se lamentava. Isso não era só para ela. A maioria vivia deste jeito. Apenas era uma mulher prática e sem ilusões. Queria que a filha também fosse assim, pois se a vida era mais dura para os negros, piorava bastante se esse negro fosse mulher.

Enquanto Dasdô atendia a menina, Anolina saiu do casebre. A tempestade continuava caindo violenta, mas precisava respirar. Era mesmo uma pessoa forte e não seria agora que iria fraquejar. Tinha uma altivez, um ar que alguns diziam ser arrogante, e outros, aristocrático. Esse "nariz em pé" lhe rendera antipatias por toda a vida, mas ele vinha da forma como foi criada. Sua filha tinha um pouco disso também, mas era mais doce, sedutora e bela, muito bela. Na mente de Anolina, isso só poderia atrapalhar. Já sentira a desgraça que a beleza trazia... E as circunstâncias provaram que estava certa. Estavam as duas nesse momento tão duro, com um bebê a caminho. Esta situação estava mexendo com Anolina. Estava trazendo recordações e sentimentos que achava que estavam fundamente soterrados.

"O que seria dessas duas crianças?" Sua cabeça estava girando. Só sabia que a vida da filha corria perigo e não era justo que terminasse assim, aos 13 anos. Nessa hora, vendo os raios que cruzavam o céu, uma lembrança mais antiga que ela mesma fez com que se ajoelhasse. Como Dasdô ordenara, pôs o joelho no chão e gritou para o alto:

— Eparrei Oyá! Kaô kabiecilê, Xangô! Vosmicês que são guerreiro, ajuda a vencê essa demanda. Ajuda a...

Não teve tempo de continuar suas orações. Foi chamada aos gritos por Dasdô.

— Tá vindo, Anu! Tá vindo! Virei o petiz. Tá vindo!

E de repente um choro encheu o ambiente. Era uma menina. Dasdô franziu a testa.

— Mas será o Benedito que só nasce muié nessa família?

Ela disse isto porque também fez vir ao mundo filhas de outras parentas de Adônis. As três sorriram e olharam o bebê. Era pequena, mas parecia muito forte e saudável. Dasdô sorria e falava com a recém-nascida.

— Eia! Bem-vinda, tiquim! Nós te recebe e abençoa. — Pegou uma faca esterilizada no fogo pra cortar o cordão umbilical.

— Ocê tá chegando numa hora que vai sê mió pra todo mundo, pois se acabô o cativeiro. Sabe, tiquim, nenhuma lida, nenhuma luta é pió do que ter um dono — disse Dasdô, olhando para a chuva que insistia em cair abundante.

— Tempestade. É Oyá que veio te receber, tiquim! Vê que honra? — E com aquela voz tão grave, quase masculina, entoou um canto para Iansã, a Oyá dos africanos. Senhora dos ventos e das tempestades.

Ouvindo as palavras de Dasdô e aquela saudação em forma de cantiga que transportava para tempos imemoriais, Anolina desatou num choro convulsivo. Umas lágrimas que eram de alegria pelas vidas salvas da filha e da neta, mas também pelo passado. Desabou de uma forma intensa e doída como ninguém vira antes e como não se veria depois, mesmo com tudo o que ainda estava para acontecer. Dasdô a abraçou e ajudou a amiga a se levantar do chão de barro batido.

— Tá tudo bem, fia, chora. Cansa não dormi nunca. Cansa não podê descansá...

Martha gemeu baixo. Tinha perdido muito sangue e feito um esforço grande demais para uma menina. Sua cabeça começou a rodar e, como que puxada por um redemoinho, mergulhou em algo que não sabia se era sonho ou realidade. Sentiu a vertigem aumentar e um frio atravessar sua testa, como se bem no meio dela uma fenda se abrisse, deixando passar um ar gelado. Tentou abrir os olhos, mas eles pesavam e, com as pálpebras semicerradas, em contraste com o frio que ia e vinha pela suposta abertura na cabeça, ela via uma fumaça, um mormaço tremulante de dia escaldante. Viu em torno dela Dasdô e a mãe agitadas, gesticulando muito e parecendo gritar, embora ela não conseguisse ouvir palavra. Sentia que perdia o controle sobre o próprio corpo.

A imagem das duas foi aos poucos sendo substituída pela figura de um homem muito alto e forte. Parecia Firmino, mas não era ele. Em uma das mãos um machado, e na outra... "Seria uma espada?", pensava, naquele delírio que não sabia se era sonho ou realidade. Ele começou a dançar num ritmo frenético, e aquele som tomava conta dela toda. Calava fundo em sua alma. Ele parecia estar todo envolto em um fogo intenso. Súbito, ele parou e a encarou sério, porém sereno. Ele nada falava.

Quando abriu os olhos, não sabia onde estava. Já era noite alta. Quantas horas ficara mergulhada naqueles sonhos confusos? A mãe e Dasdô continuavam ali no mesmo lugar, com ar assustado... mas aos pés dela estava Umbelina. O cômodo estava cheio de outras mulheres, e Firmino também estava ali com ar preocupado. Pensava: "Quanto tempo eu fiquei dormindo? Elas não moram tão perto..." Estavam terminando rituais que a menina não compreendia bem. E não era de estranhar que não entendesse.

Anolina servia diretamente a Iaiá Bandeira e antes dela, Umbelina servira a uma longa fila de mulheres daquela família. Umbelina serviu a Dona Carolina da Natividade Vieira Tosta, a baronesa de Nagé e sogra de Iaiá Bandeira. No conceito da família tão poderosa, Umbelina tinha sido uma serva exemplar, mas se soubesse de tudo, talvez reconsiderassem. A poderosa Senhora Bandeira não apreciava em nada as "feitiçarias", como se referia à religião dos africanos, e arrastava Anolina para missas e ladainhas. Ela participava todos os anos da procissão de Nossa Senhora da Ajuda, contribuía com donativos e fazia seu séquito segui-la na devoção.

Martha, nascida em 1875, tinha quase a mesma idade de Maria da Conceição ou "Maricota", a terceira filha de Iaiá Bandeira e do Coronel Francisco, que veio ao mundo um ano depois. Muito pequena Martha perdeu o seio e os cuidados da mãe para o bebê branco, pois Anolina fora ama de leite de Maricota. Todo mundo sabia. O leite da escrava era antes de qualquer coisa para alimentar os filhos da Sinhá. Sua cria não era uma prioridade. O filho da cativa tinha como função, quando muito, fazer com que o leite da mãe não secasse. Martha só não escapou de morrer porque Dasdô estava por perto e fez com que recebesse alimentação e alguma atenção.

As duas meninas brincavam juntas. Até que foram entrando na puberdade e, embora Maricota mostrasse que a preferia entre todas as outras negrinhas e trocava até as amigas filhas de donos de engenho por ela, Martha não demorou a perceber o fosso separando as duas. A preta Dasdô, observadora que só, sentada em um toco de madeira, mascava seu fumo vagarosamente, acendia o cachimbo e apertava os olhos mirando Martha e Maricota, enquanto Anolina estendia roupas num enorme varal. A branca sinhazinha passava bonecas importadas para a negra pentear, vestir, alimentar, lavar...

— Anu, essa menina, tu sabe, né mermo?

— Sabe o quê, Dasdô?

Ela olhou para o alto de uma mangueira no quintal e depois para Anolina.

— A fruta num cai longe da árvore. Iaiá Bandeira pode pensá e fazê o que quisé, mas ainda vão chamá vossuncês de volta pra onde nunca deviam de ter saído.

Talvez ela estivesse apenas tentando fazer Anolina lembrar que elas viviam naquele universo dos senhores, mas cedo ou tarde, tratariam de ocupar seus lugares, por bem ou por mal. As duas — mãe e filha — viviam se equilibrando nessa cerca. Em algumas horas estavam de um lado, em outras estavam de outro, mas ninguém mudava a condição servil em que viviam. No fundo, sabiam.

No leito onde deu à luz, bem fraca, Martha tinha uma pergunta na cabeça: "Onde estaria Adônis?" Dasdô parecia ter ouvido seus pensamentos.

— Ih, minha gente, a lida foi tanta que inté esquecemo. Adônis deve tá por aí, pelo mercado, pelas roça... Hoje é dia de Cosme e Damião. Hoje tem caruru!

Anolina pegou o bebê com cuidado e lhe acariciou o rostinho.

— Que nome vamo dá a essa pequena?

Martha teve tempo apenas para dizer antes de cair num sono profundo.

— Então não carece dúvida. Damiana é o nome dela.

Era 27 de setembro de 1888, dia de Cosme e Damião, dia dos santos gêmeos, dos erês, dos Ibejis.

Adônis: lutas, letras e liberdade

Era o primeiro "São Cosme" depois da libertação. Nessa época, estariam começando a colheita e moagem da cana, mas quem queria saber disso? Ir para a plantação era voltar para a lida do senhor. E o gosto de ser livre ainda estava muito fresco no paladar. Apesar de todas as dificuldades do momento, por vários cantos da cidade sete crianças comendo com as mãos nas gamelas, caruru, doces e batuques. As autoridades fizeram "vista grossa". Quem sabe aquele seria um momento de trégua na guerra que vinham travando com "aquela gente que só pensa em vadiar"?

Dasdô acertara. Pela cidade, Adônis comemorava.

"Salve dois-dois!"
"Ê Cosme, ê Cosme/ Damião mandou chamar...
Que viesse nas carreiras/ Para brincar com Iemanjá"

"Cosme e Damião, vem comer seu caruru / Cosme e Damião vem que tem caruru pra tu"

"São Cosme mandou fazer duas camisinha azul/
No dia da festa dele São Cosme quer caruru /
Pois vadeia Cosme, vadeia ... eu tô vadiando ...vadeiaaa/
São Cosme, São Damião, dois meninos quer brincar/
Bate palma, sereia do mar/ Dois-dois, ele quer vadiar
Dois-dois, ele quer vadiar/ Dois-dois ele brinca no mar"

"Vadeia, dois-dois/ vadeia no mar

A casa é sua, dois-dois, eu quero ver vadiar"

— Viva São Cosme e São Damião! Viva todas as crianças! Viva todos os erês!

— Viva!

As saias rodopiavam, todo mundo batia palmas, entoando as muitas canções dedicadas aos santos gêmeos. Todos se juntaram para fazer o caruru — ensopado de quiabos cortados em pedaços miúdos, com óleo de palma (dendê), galinha e temperos. Num terreno atrás de uma igreja, Adônis torcia o pescoço de galinhas que seriam cozidas para o deleite de todos. Um vozerio em idiomas africanos enchia o ar. Depois que as crianças comeram, vinha o caruru dos adultos, e depois do caruru, o samba de roda.

Palmas ritmadas para os pés que riscavam o chão com habilidade e corpos que se remexiam com sensualidade. Saias coloridas girando sem parar. Adônis não imaginava que Martha já estivesse parindo, embora não se sentisse bem e por isso tinha preferido descansar em vez de acompanhá-lo nos divertimentos de São Cosme. Ele não cansava de comemorar. Estava festejando desde maio. Bem que dissera a Martha que não tardava chegar a hora da libertação total. Tinha 17 anos quando o 13 de maio chegou. Estava no meio da multidão que na noite deste dia histórico seguiu em festa a filarmônica "Lyra Ceciliana", tendo à frente o maestro Tranquilino Bastos a desfilar pelas ruas. Cantou com os músicos seus amigos de ideias e ideais. Sabia que ainda havia muito que conquistar, mas nenhuma batalha seria mais árdua do que a que culminou com a Lei Áurea. O resto eles conseguiriam, pensava num surto de otimismo, pois o pior estava no passado.

—"... *No dia da festa dele São Cosme quer caruru! Agradecido São Cosme!*"

Adônis dançava, batucava, sorria e perdia a noção do tempo. Com as mãos no atabaque, voltava àqueles dias tão intensos de brigas e perdas, mas também de uma rara alegria. Estava envolvido com abolicionistas desde que tinha a idade de Martha, 13 para 14 anos. Começou meio por acaso, quando serviu de cocheiro do senhor e da família em um domingo, numa ida à igreja. Enquanto a família estava nas fileiras da imponente Matriz do Rosário entoando ladainhas, do lado de fora, na lateral esquerda do prédio, três homens conversavam em tom enérgico, porém compreensível apenas para quem chegasse perto, o que era o caso dele, que estava distraidamente ajeitando os arreios dos cavalos antes de conduzir a charrete para outro lugar, até esperar o fim da missa.

Um deles, um homem chamado Cesário, dizia que os conservadores o estavam perseguindo, pois estavam desconfiados de que andasse escondendo negros fugidos e alimentando o movimento que para os fazendeiros estava virando as cabeças dos serviçais. Por outro lado, dizia que nada podiam fazer contra ele enquanto não tivessem provas. Inácio, o segundo homem na conversa, alertou que encontrar provas era uma questão de tempo. E aí o senhor Cesário tocou no ponto que deixou Adônis todo alerta e realmente interessado:

— Pode ser, meu caro Inácio... mas enquanto este tempo não chega, faço o que acho que devo! O Brasil não pode mais com esse horror do atraso e da crueldade. Sabia que alguns libertos estão aprendendo a ler e escrever? E o principal: estão unidos para comprar a liberdade dos que pertencem ao grupo. Não é mesmo formidável?

O terceiro do grupo, Antônio, disse que ele estava se arriscando demais, ao que Cesário respondeu que mais negros sabendo ler e escrever era urgente para a causa. E ficaram ali cochichando muitas outras coisas que interessaram demais ao moleque. Já se despediam quando Adônis, reunindo forças, levantou-se num salto e não deixou que partissem cada um para o seu lado.

— Inhô!

Os três se entreolharam e olharam o rapaz que parecia ter entre 15 e 16 anos. Não imaginavam que era mais novo que isso.

— Pois sim, jovem? — consentiu Antônio.

— Adônis, senhor. Adônis Tosta é a minha graça. É que ouvi a prosa... Sem querê e... Como faço pra aprendê a lê tamém?

Água de barrela

E foi aí que Adônis começou a passar todo o pouco tempo livre que tinha com aulas num porão da tipografia do senhor José Olympio Pereira, no sobrado nº 9, da Rua de Baixo, em Cachoeira. A tipografia do senhor Olympio rodava um jornal abolicionista chamado "O Asteróide". Aquelas poucas páginas atingiam em cheio os seus principais objetivos: difundir as ideias e perturbar a vida dos senhores de engenho.

Adônis era o quarto filho de Dasdô e, como o próprio sobrenome prova, nasceu na propriedade da família dona das terras que se localizavam no Outeiro Redondo, em São Félix. Assim como Martha, ele vinha dos engenhos da família Vieira Tosta, dona, de gigantescas porções de terra na região. Também como a amada, ele nasceu do ventre-livre e sobrevivia há tempos executando os muitos ofícios que aprendera nas andanças entre um engenho e outro da família. Isso pelo menos aquele lugar tinha lhe dado: muitas habilidades. Devido à localização às margens do rio Paraguaçu, aqueles conjuntos de fazendas de açúcar eram ligadas também à navegação, e mal se firmou nas pernas teve que aprender a lidar com embarcações. Esse fato mudou sua vida, pois o empurrou rio abaixo e rio acima tantas vezes, conhecendo muitas coisas que jamais aprenderia estando trancafiado na prisão vegetal que eram as plantações.

Depois daquele dia em frente à Matriz, quando conheceu Antônio José Baliciro, Cesário Ribeiro Mendes e Inácio José Freitas, sua vida nunca mais seria a mesma. Tinha tanta vontade de aprender a ler que não demorou muito para começar a desvendar os "mistérios" dos livros, jornais e tudo o mais que tivesse letras. Estudava escondido na beira do rio e enterrou papéis que o grupo lhe deu, para que ninguém descobrisse que estava aprendendo.

Certa vez, Benjamim, o filho do Major Umbelino, quase o pegou lendo uma gazeta que esquecera na carroça. Adônis reparou que uns jornais ficaram no assoalho. Inclinou-se e, ali mesmo, começou a ler em voz alta, balbuciando e soletrando, mas já com alguma fluência, como fazem as crianças que estão terminando a alfabetização. Não reparou quando o dono do periódico retornou.

— Ora vejam só! O negro sabe ler! — exclamou.

De um salto, Adônis não se fez de rogado: humilde, tirou o chapéu e o contorceu entre as mãos.

— Imagine, inhozinho... Eu sei lê não... tava só inventando. Deve de ser bom aprendê...

— O que deve ser bom é vosmicê não perder tempo com o que não lhe tem serventia.

E se afastou com o jornal nas mãos e um sorriso no canto da boca. Adônis continuou olhando fixo a figura engomada se afastando. Resmungou baixinho.

— É, sinhozinho... não demora vosmicê vai ver o que tem e o que não tem serventia.

Participava das reuniões dos abolicionistas, a princípio apenas ouvindo. Gostava muito porque, para ele, era o único lugar do mundo inteiro onde estavam em pé de igualdade. Com o tempo e com o que ia conseguindo apurar nas notícias em jornais da capital e até mesmo da corte, começou a entender bem a fundo tudo o que estava em jogo naquele momento.

Ajudava os companheiros na eterna tarefa de economizar dinheiro, com o objetivo de comprar a liberdade, embora tivesse nascido no exato ano da "Lei dos Ingênuos", 1871. O ventre de sua mãe estava livre, mas ele seguia ali preso e trabalhando como escravo. Um de seus companheiros, aos 40 anos, finalmente conseguiu a alforria, pois a Sociedade Libertadora ajudava a negociar com o senhor para quem já tivesse certa quantia. Ficou por um bom tempo apenas olhando aquele pedaço de papel do amigo, como que petrificado.

— Então é isso. A vida inteira num papel.

Era estranho esse negócio de "ventre livre", pensava, pois afinal, do que adiantava uma criança livre sem ninguém para olhar por ela? E além do mais, essa lei era completamente ignorada pela maioria dos senhores. Leu o texto da lei datada de setembro de 1871 e, no seu entender, ela era o cúmulo do cinismo, pois os nascidos do ventre livre tinham que permanecer sob o poder dos senhores até os oito anos de idade. Quando chegavam a essa idade, o senhor podia optar entre entregar a criança ao Estado, e em troca receber 600 mil-réis, ou continuar a desfrutar dos serviços do ingênuo até completar 21 anos de idade. Este último era o caso dele.

— Filhos de uma égua! Grande liberdade! — refletia Adônis.

Não tinha paz enquanto convivia com "aquilo". No final das contas, pensava, Martha tinha razão. A liberdade deles não valia lá grande coisa, pois continuavam presos aos donos por amarras poderosas. Mas o fato é que, depois daquele dia no cais, nunca mais Adônis e Martha se largaram. Estavam realmente apaixonados e chegou a hora de enfrentar dona Anolina de verdade, com mais calma, sem a fúria dela pela noite em que a filha passara fora. Adônis tinha muito respeito e certo medo de Anolina. Sempre a via tão séria, embora soubesse que sua mãe e sua avó a adoravam. Mas "dona Anu" tinha seus motivos para ser durona.

Os dois chegaram ressabiados e falando manso. Martha o apresentou. Anolina não respondeu; apenas olhou detidamente para o rapaz. Mais uma vez, uma inspeção, que começou no alto da cabeça e terminou na ponta do dedão dos pés e voltou pelo mesmo caminho.

— Muito gosto, dona Anolina. Quero lhe dizer que...

Não continuou, pois ela o cortou no meio da fala, olhando fixamente para ele e com as mãos nos quadris, brava, dizendo que Dasdô nem desconfiava, mas ela sabia do seu envolvimento com a política, com aqueles grupos que tinham gente branca "metida a sabichona" e gente preta "metida a gente branca", mas que não queria a filha dela enfiada em confusão. Terminou dizendo que lhe daria uma sova com gosto, daquelas que só Moreno sabia dar nos fujões se alguma coisa séria acontecesse a Martha. Anu era assim: afiada como uma lâmina, e com essa mensagem, disse logo sem preâmbulos que estaria de olhos postos nele. Adônis engoliu em seco e reprimiu um riso porque, a sua maneira, ela também dissera que o aceitara, pois do contrário essa mulher que, para usar as palavras dela, "num quer confusão", mas parecia ser a encarnação da própria, jamais lhe serviria um almoço.

Ele e Martha se sentaram à mesa simples e ficaram se olhando de cabeça baixa, pelo "rabo de olho". Anolina servira a vida toda no sobrado e fazia um esforço para reproduzir no próprio espaço o que via por lá. Nada de comer em qualquer lugar, com pratos nas mãos. Tinham que comer numa mesa. E preparou feijão, farinha, banana frita, inhame cozido, doce de araçá e refresco de aluá ou casca do abacaxi. Um banquete. Os três comeram com as mãos, em silêncio, mas em paz. Apenas Adônis e Martha não podiam se olhar, pois tinham a impressão de que iriam romper numa gargalhada, o que podia ser desastroso com dona Anu, que continuava observando como um cão de guarda.

Na saída, ela pediu a bênção da mãe.

—Sua bença, mainha.

Adônis lhe beijou as mãos.

— Deus lhe dê uma boa sorte — respondeu séria, olhando para os dois.

Quando virou as costas e entrou na casa, também esboçou um sorriso. Olhou pela janela, para os dois que seguiam abraçados caminhando com passos firmes, mas ao mesmo tempo leves, naquela terra adubada com tanto sangue.

Brinde com taça cheia de lágrimas

Sem saber que já era pai, a mente de Adônis voava naquelas recordações enquanto batia no atabaque até que dois homens chegaram, indo cada um para um lado, se misturando na festa e mirando com olhos observadores, procurando examinar cada um. Como eram pessoas parecidas com todas as que estavam na festa, fizeram tão discretamente que ninguém percebeu, exceto ele. Gravou bem aquelas fisionomias, pois alguma coisa lhe dizia que veria aqueles rostos mais vezes e que não seria em boa situação. Suas mãos ficaram suspensas no ar. No ouvido esquerdo, um sussurro.

— Pense. Não se demore. Corra!

Desde pequeno, essa voz o acompanhava. Sentiu um não sei o quê, um calor no peito, um zumbido que ecoava em sua cabeça. Levantou de supetão deixando curiosos os companheiros. Rumou para a casa de mãe Dasdô num passo rápido, quase correndo. Na caminhada, foi "matutando" que sairia daquelas terras o quanto antes, assim que Martha desse à luz. Anolina insistiu em ir para junto da velha parteira, que, teimosa, depois da libertação, insistiu em fixar residência nas proximidades das terras do Barão de Moniz Aragão, mas ele não gostava dali. Não suportava aquele barão, como aliás não engolia nenhum dos que possuíam aqueles títulos que bastava ter dinheiro suficiente para comprar. Na opinião de Adônis, aquele "Inhô Aragão" era mais um intragável e mais ainda os capatazes e administradores das terras deles. Adônis estava certo de que havia alguma coisa no ar que não sabia explicar. Estava decidido: sairiam dali assim que a criança nascesse.

Ia tão absorto em seus pensamentos que, quando deu por si, o dia estava prestes a clarear e, pegando uma carona aqui e outra ali em carroças, tinha percorrido a longa distância entre Cachoeira e o Maracangalha. Na frente do casebre, um cheiro diferente de ervas chamou sua atenção. Estancou na porta quando viu Martha dormindo com o bebê. Dasdô também estava adormecida numa esteira e Anolina acordada, sentada num pesado toco de madeira que lhe servia sempre de assento, virada para a porta, como que a esperar por ele. Seu rosto severo iluminado pela única vela no ambiente.

— Vossuncê agora é pai, seu Adônis.

— Eu não tinha ideia... eu não podia imaginar que... — gaguejou, com os olhos úmidos.

— Ela sofreu muito. Quase que nós perde as duas. O cordão enrolou no pescoço e a pequena estava em posição ruim.

Ele se aproximou do leito, beijou a testa da mulher, que assim adormecida parecia ainda mais menina, e deitou enlaçando as duas. Sentiu um calor percorrer seu corpo e um nó na garganta. Sua mente mais uma vez voou nas recordações.

Em março de 1888, depois de descobrir que estava pejada, Martha teve que dar a notícia a Anolina, que fez uma revolução, mas nem precisava. Nunca iria abandoná-la porque gostava mesmo da moça e porque sua mãe foi quem criou Anolina. A festa da união dos dois tinha sido divertida, com batuques e risos. Uma festa feita pelos negros e para os negros. Iaiá Bandeira tudo fizera para se meter. No tempo em que eram escravos, muitos senhores não permitiam que seus cativos se casassem na igreja. Como poderiam separar uma família que recebeu os sacramentos para eles tão sagrados? Como venderiam crianças que fossem frutos de uma união legítima? Preferiram que tudo ficasse como estava e os negros que quisessem viver juntos que o fizessem sem precisar de casamento. Mas os tempos já eram outros. Não eram escravos e, de uma maneira que Adônis julgava torta, Iaiá Bandeira tinha um apreço pelas duas. Anolina não conseguia negar nada à sinhá e Martha não conseguia negar nada a Anolina. Adônis refletia: "Ora, ora... não eram escravos!". Teria que se intrometer nessa negociação.

Um dia, quando a gorda matrona estava comodamente sentada na varanda, ao lado das filhas Matilde e Maricota, se abanando com uma ventarola e tomando refrescos servidos por Anolina, ele respirou fundo, tirou o chapéu e se dirigiu a ela.

— Inhá, bom dia...

Ela virou a cabeça devagar e apertou os olhos claros, mirando-o.

— Sim, Senhor Adônis...

— É sobre o casamento mais Martha... Nós aceitamos o padre, muito agradecido, mas...

— Mas...?

Anolina entrou na varanda nesse momento, admirou-se da coragem do genro e o fuzilou com os olhos.

— Martha gosta de batuque.

—Batuques? — Exclamou, escandalizada.

Maricota parou o bordado que estava fazendo e olhou suplicante para a mãe. Sinhá Emília Bandeira olhou para Anolina, como que perguntando a opinião dela, que deu de ombros.

No dia marcado, o padre, também um parente dos senhores, no oratório da família casou os dois jovens, alguns outros casais, batizou crianças, disse missa, enfim, trabalhou o dia todo na "seara do Senhor", como dizia Dona Emília. Martha estava realmente bonita, metida em um vestido alvo e com flores nos cabelos amarrados em vários pequenos coques simetricamente alinhados, como penteava desde criança.

Maricota chamou-lhe reservadamente na cozinha e lhe deu um pequeno pingente num cordão de ouro com a imagem de Nossa Senhora Auxiliadora e uma toalhinha de mesa bordada por ela mesma. As duas se abraçaram entre lágrimas e foram afastadas uma da outra por Iaiá Bandeira e Anolina.

Martha saiu puxada pela mão do marido atravessando o belo gramado da fazenda, seguida por um cortejo de amigos e parentes que estavam aguardando do lado de fora, cantando e dançando. Ela olhou para trás. Na varanda da casa, Maricota em pé, ao lado da mãe e das irmãs, mal continha a vontade de seguir aquela procissão. Sinhá Bandeira não precisou dizer palavra: repreendeu a filha com um breve olhar e todas entraram para o sobrado.

Tudo parecia a Adônis um sonho bom. Até acompanhar o crescimento da barriga era divertido, mas não era muito real. Sentia que alguma coisa viria para interromper aquela paz. Já o bebê, ali ao lado, de carne, ossos e respirando, foi um choque de realidade. Finalmente ele pôs os pés no chão, após meses de euforia. A mente voltou para os pensamentos da caminhada até a casa. Estava mesmo resolvido a tirar a família dali sem demora.

Mas as coisas não aconteceram como Adônis esperava. Martha não se recuperou rapidamente. O parto duro foi substituído por febres altas e dores fortes no ventre. Ela ficou muito fraca e magra. Mais uma vez, precisaram contar com o auxílio da bisavó da criança, Umbelina, e suas companheiras, que de tempos em tempos vinham para ajudar e para realizar preceitos religiosos. Dasdô foi incansável nos cuidados a ela e ao bebê, enquanto ele e Anolina labutavam nos mercados para garantir o sustento de todos.

Foi nessa época que um grande incêndio no Engenho Maracangalha pôs Moreno e os homens do barão em apuros pra combater as chamas. Por mais que buscassem, não encontraram rastro de que o fogo foi criminoso.

— Mas eu sei que esses diabo tão por trás disso... eu sei... eu sei... — rangia Moreno entre dentes.

O tempo ia correndo, como que esperando o ponto certo pra levantar a fervura da panela que já estava quente no fogão. Adônis e Anolina brigavam o tempo todo, mas faziam uma boa dupla de vendedores. A sogra ainda era moça e bem podia encontrar alguém. Ele reparou certa vez que um dos pescadores no mercado espichava o olho quando Anolina passava. Ela, sempre séria, não percebia o interesse do homem. Foi aí que Adônis resolveu enviar um peixe para ela em nome do outro, e uma galinha ao outro em nome dela. Quando o sujeito se aproximou para "esticar a prosa", ela percebeu tudo, mas não fez nada. No caminho de volta, apenas esticou a palma aberta para Adônis.

— O que é, dona Anu? Já sei. Quer levar um bolo da palmatória do Barão — E soltou uma gargalhada.

— Muito engraçado, né mermo seu moleque? Meu pagamento.

— Pagamento pelo quê, mulé?

— Pela galinha que o sinhô seu Adônis resolveu comprar pra dá de presente ao peixeiro em meu nome!

Os dois riram. E assim o tempo corria. Anolina, todo mundo sabia, desde menina era muito boa na cozinha e transformava as abóboras, cocos e araçás em mingaus e doces perfumados e desejados, que eram imediatamente vendidos assim que o tabuleiro arriava. Tinha seus fregueses certos, como o menino Luiz Rodrigues, sempre com a ama na feira só para comer os doces, bijus e guloseimas de Anolina.

— Bom dia, dona Anu!

— Dia, inhôzim. Que vai querê hoje?

— Queimados, dona Anu... — O menino começou a dizer, se lambuzando com as balas.

— Pois sim, inhozim Luiz...

— Dona Anu, a senhora já viu algum negro botar fogo nas canas?

Anolina olhou para os lados. Adônis, por perto, carregando caixas, apurou os ouvidos.

— E quem lhe falô dessas coisa? O inhozim num tem idade pra esses assunto...

— Meu painho estava lendo alto uma notícia ontem. Ele estava muito zangado...

Ela acariciou os cabelos do menino e sorriu triste.

— Não, inhozim, nunca vi nada, não sinhô.

— Mas ele disse que isso é coisa dos negros libertos que querem se vingar.

— Esse assunto num é pro inhozim se preocupá. Vi nada disso, não sinhô, já disse. Ói... tome mais esse cuscuz. Dê pra ama Benta. Diz que é um agrado meu e pede pra ela vir aqui?

— Agradecido, dona Anu!

Anolina e Adônis se entreolharam. Começaram a falar aos sussurros.

— Isso tá ficando muito perigoso, Adônis. Falei pra Roberto mais Firmino. Antes era pra comê os boi, agora é guerra.

— E era correto o que fizeram esses barões todo esse tempo de cativeiro? E é correto deixarem o gado estragar as roça da gente?

— Vou procurá essa Tribuna. Quero saber o que andam dizendo. Ocê vai lê pra mim. Adônis... Vossuncê num anda metido com isso, né mermo?

Água de barrela

— Oxente! E eu faço outra coisa que não seja cuidar das roça, pescar, vender nesse mercado, voltar tarde, cuidar de sua filha, de Damiana, de mainha Dasdô...?

— Sei, sei... — resmungou, desconfiada.

Benta, uma moça magricela e desengonçada, veio correndo na direção deles.

— Muito agradecida, dona Anu! Tava uma dilícia! Me vê uma cocada pra levar pra inhazinha? — pediu com sua voz fininha.

— Escute, fia. Ocê tem como consegui a gazeta que inhozim Luiz disse que viu o paim dele lendo? Tô querendo uns papé pra embrulho, num sabe?

— Vou ver. Se eu conseguir trago aqui, dona Anu. Gradecida pelo cuscuz! — E saiu correndo com aquele riso bobo que fazia todo mundo no mercado rir também.

Benta conseguira o Diário de Notícias. Chegando à comunidade, à noite, assavam milhos numa fogueira, e Adônis leu para todos.

— "... Ultimamente queimaram do barão de Moniz Aragão canaviais em Mataripe e Maracangalha, em mais de quarenta tarefas de cana de rego; ao coronel Frutuoso Vicente Vianna, vinte e tantas tarefas em Paramirim; ao coronel José Joaquim de Teive e Argolo, em cinquenta tarefas, em S. Lourenço e Almas; todos os pastos do Engenho S. Estevão, do major Joaquim de Carvalho, destruindo-se-lhe assim todas as cercas de pau a pique, no valor de seis contos de réis...".

Um murmúrio encheu o ambiente. Seis contos de réis era muito dinheiro e não tinham noção que os incêndios eram tantos assim. Adônis prosseguiu:

— "... no Engenho Tanque, do barão do Rio de Contas; na Bomba e Pitanga, do capitão Ribeiro Lopes, foi um horror..."

E continuou lendo em silêncio.

— Vamos, Dônis, continue! — insistiu Martha.

— Bem, eles estão dizendo que Salvador não faz nada e estão dizendo que os donos das terras têm que agir já e por conta própria, sem esperar nada do governo. Eles, os senhores, é que têm que fazer justiça...

Por um instante todos se calaram, mas se lembraram do entrevero com Moreno por causa do roubo dos bois. Firmino se levantou tranquilamente, e sua figura de pé, iluminada pela fogueira, intimidava. Ele quebrou o silêncio.

— Ói só... O que foi feito não está por fazer. Não carece nada de arrependimento. Aqui ninguém viu nada, não sinhô — Falou com sua voz de trovão, mas calmo, e se agachando, outra vez continuou comendo seu milho com todo vagar. Adônis olhou nos olhos de Firmino por entre as chamas da fogueira e, erguendo metade do corpo e sem tirar os olhos da mirada do companheiro, esticou o braço e queimou o jornal.

Todos já estavam dormindo e a noite ia alta quando Firmino, Adônis, Roberto, Clemente, Daniel e mais cinco homens se reuniram na mata. Roberto era mais velho que os dois, mas sofreu em silêncio quando Adônis se juntou a Martha, pois assim que ela começou a colocar corpo, ele viu como estava ficando bonita e nutria a vontade de tê-la. Firmino fora eficiente na tarefa de incutir no filho a mesma vontade de combater.

— Não é hora! Vocês perderam o juízo? Eles não são mais nossos senhores. Só estão brigando com as armas que estão acostumados pra nos convencer de que ainda são. E vocês estão caindo na armadilha! Não percebem? Estamos estudando uma forma legal de...

Roberto não deixou Adônis terminar.

— Você fala bonito, como sempre. Mas não se pode mais viver desse jeito, Adônis. Não se pode mais! O prejuízo é muito pros barão. Eles vão desmanchar as roça, já descobrimos, e nós vai viver de quê?

Os dois ficaram ali, discutindo por algum tempo, até que Firmino acabou com o debate entre os dois jovens. Disse a Adônis para lutar do jeito que ele achava certo e eles fariam o mesmo. Isto significava que a fervura já tinha levantado e a panela ia sair do fogão em breve.

Damiana era apenas uma bonequinha rechonchuda de quatro meses em janeiro de 1889, quando vários mandatários da região estavam reunidos em animada conversa. O Barão de Moniz Aragão ergueu a taça e brindou com companheiros, entre eles Francisco Tosta, o marido de Iaiá Bandeira e pai de Maricota. Ele estava comemorando uma luz no final do poço sem fundo de dívidas e problemas administrativos surgidos com o fim do cativeiro e a quase total perda daquela safra, pela falta de mão de obra.

— Tudo muito fácil e cômodo. Assinar uma lei que liberta os cativos, sair de "santos" e deixar os lavradores, a classe que sustenta e move este país, à míngua, sem ao menos uma indenização! — bradou um dos barões.

— Bem que tentamos, falamos que essa liberdade tinha que ter condições e ser feita sem esse açodamento. Não fosse essa gente tão afeita à vadiagem e ingrata, ainda poderíamos ter nossas lavouras e a safra em parte salvas. Mas qual! Só pensam em bebedeiras e mordem as mãos que tão generosamente os alimentou — emendou Vieira Tosta.

— Já debatemos este tema largamente. Estavam todos pressionados e influenciados por este movimento de abolição que virou a cabeça dos negros e do povo mais simples. Querem salvar os pescoços. Sobre os cativos recém libertos, foi como disse certa vez: essa gente não aprecia nem tem sentimento de gratidão para corresponder às provas de bondade que recebem... Mas falemos então do empréstimo. O governo da província concedeu-me 400 contos de réis para a montagem de um engenho central no Maracangalha. Quem estiver interessado em sociedade basta entrar com 10% deste valor. Que tal? — arguiu, animado.

Os outros se entreolharam, pensando nas condições, e analisavam que o engenho precisa de bois, e bois precisam de espaço... Espaço livre de roças e de gente. Muitas terras estavam ocupadas pelos ex-cativos e, além do mais, quem àquela altura teria recursos para cumprir as condições? Não bastasse tudo isso, os incêndios de lavouras eram uma realidade.

— Como se não bastasse o prejuízo que a tal Lei Áurea causou, ainda deixou nas mentes desses pobres diabos a ideia de comunismo de nossas propriedades! Todo esse caos, esse distúrbio da ordem é consequência dessa lei. E se usam terras que não são deles para o sustento, não irão jamais voltar à lida no canavial — rebateu outro senhor de terras.

Todos ficaram reflexivos por um instante, e em seguida, ergueram as taças novamente e brindaram sem nada dizer.

—"Pensa. Vá pra casa. Não demore".

Aquela voz outra vez. Martha já estava firme, e Adônis achou que era o momento de dar vazão ao seu desejo e ouvidos ao sussurro no pé da orelha que quase todo dia lhe advertia do perigo iminente.

— Martinha... Seis meses já passaram. É hora de voltar para o nosso lugar, a nossa terra.

— Ai, Dônis, ocê não perde essa mania. E a gente lá tem alguma terra?

— Claro que temos! As roças que a gente plantava são nossas. Trabalhamos para ter direito!

— Não sei não, Dônis...

— Escute: se lá não é o nosso lugar, aqui muito menos. Moreno anda mais nervoso que nunca, principalmente depois da surra que levou e que não deu em quase nada. Mas não é por isso. Os barões que mandam nele têm algum plano pra esse lugar e o desgraçado anda se achando "polícia". Não lembra da notícia do Diário? Eles estão levando a sério esse negócio de resolver sem governo.

— Ai, ocê é mesmo desconfiado... Antes dizia que nós tudo já era livre, que todo mundo ia ter terra, que num sei que mais. Agora está com medo de sei lá o quê. Está bem, está bem, homem! Mas tem que ser hoje?

— Agora! E mainha Dasdô vem também.

Adônis respirou um pouco mais aliviado. Começaram os preparativos para deixar o lugar, e a noite caiu. Já estavam dormindo quando Adônis levantou num salto.

"É agora!", a voz lhe dizia quase aos gritos. Imediatamente acordou as mulheres aos solavancos.

— Mas o que é que há, seu Adônis? — resmungou Anolina.

— Escutem! — Do lado de fora, era possível ouvir cavalos e movimento.

Num gesto automático, Anolina pulou da esteira e empurrou o pesado toco que servia de banqueta de cima de um buraco no chão. Apareceu uma trouxa de onde saíram o cordão que Martha ganhou de Maricota no casamento, 400 mil réis e outros pequenos pertences. Também pegou a imagem de Cosme e Damião, o Santo Antônio que tinha numa prateleira pequena, uma imagem e uma guia de Xangô, que conseguiu esconder por anos de dona Emília Bandeira. Pôs tudo apressadamente enrolado numa trouxa e escondeu na manta que envolvia a criança.

— Ai, Dona Anu! Isso é hora de pensar nisso? — falou, impaciente, olhando pela fresta da porta ao mesmo tempo em que amarrava as calças.

— Sempre é, seu Adônis. Sempre é! Oxente, tá variando, esse menino? Não suei a vida inteira naquele mercado dia sim e outro também pra algum vagabundo levá meus mil-réis!

Um estrondo derrubou a porta.

— Todo mundo pra fora agora!

Damiana desatou num choro. Martha pegou rapidamente a filha e saiu apressada, seguida pelos outros. Do lado de fora, uma correria entre as patas dos cavalos dos homens que carregavam tochas e armas. Cercaram as casas. Instantaneamente, Adônis reconheceu entre os cavaleiros os dois que estavam observando o povo no batuque no dia de São Cosme.

— De joelhos todo mundo!

Começaram a atear fogo nas plantações dos libertos. Um dos roceiros se desesperou.

— Minhas roças! Não! Por Nosso Sinhô, não… — e saiu correndo na direção dos pés de cana. Moreno não teve dúvidas: mirou a arma e atirou sem hesitar. O corpo carbonizou junto com sua plantação já crescida. A gritaria e o choro só aumentaram.

— Isso é pra vosmicês provarem um pouco do próprio remédio!

Dois homens apearam do cavalo e começaram a amarrar as pessoas. Dasdô chorava baixinho e rezava. Martha, agarrada à criança de olhos fechados, era abraçada por Adônis. Anolina olhava pra os homens e cutucou o genro de leve, fazendo um gesto de cabeça numa direção. De repente, de dentro do matagal surgiram Firmino, Roberto e outros homens. Ele era sempre uma figura impressionante e ameaçadora. Uma luta feroz começou, e dessa vez não apenas com foices e enxadas, mas também com armas.

— *Onde conseguiram aquelas armas?* — pensou Anolina.

Aproveitando a surpresa dos homens montados, começaram a desamarrar os moradores. Cada um correu para um lado para salvar o que pudessem. As casas e roças ardiam. Adônis tentava proteger a mulher e Damiana, quando viu Moreno e Firmino, cada qual em seu canto apontando uma arma para o outro. Ele, Martha e Dasdô correram para o mato de onde Firmino saíra. Anolina continuava ajoelhada, no meio do tiroteio.

— Vamos, dona Anu! Venha! — gritou. Ela olhou lentamente para a família e começou a caminhar na direção deles, também devagar. Um dos capatazes, ao vê-la se dirigindo para a mata, se pôs no meio do caminho com o cavalo. Adônis tocou Dasdô e Martha mais para dentro do mato, mas não a tempo de impedir Martha de ver Anolina cair. O tiro destinado a Firmino a acertou em cheio.

— Mainha! Mainha! — gritou soluçando — Venha, mainha!

Adônis a fez calar, mas as lágrimas rolavam abundantes e caudalosas como o sangue de Anolina que ensopava o chão. Damiana, no colo de Dasdô, curiosamente aquietou-se, resmungando baixinho. Firmino, aquele homem tão rude, paralisou com a visão de Anolina no chão. Em seu rosto, uma expressão de dor profunda, como se tivesse sido puxado para um tempo remoto. Ele só conseguia murmurar com o olhar em desespero: Ẹwà Oluwa, Ẹwà Oluwa...

Foi preso com o filho Roberto, e com mais dois de seus homens foram levados amarrados em uma carroça. Não ofereceu resistência. Não estava mais ali. Lembrava-se de Ẹwà Oluwa chegando com ele naquela terra. Ele criança, ela uma jovem muito bela... E grávida de Anolina! Não estava mais ali. Estava em Oió rindo-se com a mãe, com os amigos, vendo o pai domar cavalos para o hauçá Daren, estava no casamento do irmão... Estava na fila do "libata"— o comprador de negros —, com Gowon e Ẹwà Oluwa à sua frente. Ela tão linda...

Não esqueceria nunca como foram parar naquela terra e como juntos acabariam na mesma senzala. Parecia-lhe um milagre que tivesse sobrevivido a todo aquele horror que passaram desde os últimos dias em África até a chegada naquele país. E também sabia (e só ele sabia) o amor escondido que sempre sentira por ela. O primeiro amor de infância. Para ele, a filha de Ẹwà Oluwa, Anolina, era a única pessoa realmente sua, pois era seu elo mais precioso com o passado. Vira a menina nascer e a mãe morrer após uma luta no parto executado por dona Dasdô e dona Umbelina. Temeu que o mesmo ocorresse com Martha e correu para lá quando soube que as descendentes de seu irmão Gowon corriam risco de vida. Não tinha noção, até aquele momento, de que o medo de perder Anolina ou alguém daquela pequena família era maior que qualquer coisa. Ele a considerava a única amiga, embora brigassem muito. Ele era durão, mas ela não ficava atrás.

— Gowon e Ẹwà Oluwa, a cria de ocês tá chegano. Agora ninguém mais vai separar sua família... Ninguém mais — murmurou.

Da mesma forma como aquele furacão de violência chegara, se foi, deixando os trabalhadores atônitos, sem rumo ao assistirem a toda a sua vida arder. Antes de atear fogo nos casebres, o grupo de Moreno levou o dinheiro que encontrou guardado, ferramentas de cultivo e tudo o que consideraram de valor.

Um silêncio de terror tomou conta do lugar. Quando tiveram certeza de que os homens se foram, Martha, Adônis e Dasdô saíram do mato correndo na direção de Anolina. A menina chorava desesperada, abraçada ao corpo da mãe. Ninguém tinha coragem de falar, nem forças para interferir.

— Mainha, não faça isso comigo! Mainha... acorde. Dasdô, chame vó Umbelina. Chame tio Anacleto! Mainha... — e se contorcia, sentindo uma dor maior do que a do difícil parto de Damiana. Todo o seu corpo tremia e um gelo lhe dominou a alma. Ela pegava as mãos da mãe e as colocava contra o peito. Beijava-lhe as faces. Nunca sentira nada semelhante. Tinha como uma flecha atravessada no meio do tronco. Mirou Dasdô com uma raiva no olhar e falando entre dentes:

— E onde é que estava todos aqueles santo, aqueles orixá? Onde é que estão Jesus, todos os santo de igreja? Onde está Deus que deixa isso acontecê? Qual a justiça que existe neles se aqui é só sofrimento? O que foi que fizemo, Dasdô? Que mal fizemo pra merecê tanta dor? — E voltou a chorar, desesperada.

Dasdô passou Damiana para o colo de Adônis e se curvou para levantar Martha do chão, exatamente como fez com Anolina no dia do nascimento de Damiana. Envolveu a menina com o abraço mais apertado que pôde oferecer. Ela não conseguia parar de chorar, e suas lágrimas podiam encher várias taças fundas, as mesmas que se completavam com vinho e se erguiam num brinde em alguma sala elegante naquele mesmo momento.

Despedidas

Firmino saiu da fazenda amarrado dentro de uma carroça. Não ofereceu resistência. Fazia uma noite sem lua. Moreno não escondia o sorriso pelo sucesso da empreitada. Na cidade, desceu do cavalo na frente da delegacia, rodeou o negro, que olhava fixo para a frente, ereto, cabeça erguida, como numa posição militar de sentido.

— Pois nós temos algumas continhas para acertar, né mermo, seu negro metido à merda?

Para Firmino, era como se Moreno não estivesse ali, pois ele mesmo não estava. Agora se via no campo de guerra, esperando para receber o castigo.

— Pode deixar que vamo abaixar essa sua venta. Eu não preciso de respeito de nego nenhum! Eu preciso que me obedeçam, e se não vai ser pelo bem, vai de outro jeito. Mathias! Amarra esses desgraçados pelo pescoço.

Firmino olhou para Moreno pela primeira vez e disse, pausando um segundo entre cada palavra:

— Eu não sou e nunca fui escravo de ninguém.

— Ah, não? Ah, não foi não, sinhô? — e esbofeteou o rosto do negro — Mathias! Bota gargalheira no pescoço do "liberto". Vamos ver quem é escravo de quem. Aliás, quero ver teu senhor, aquele que não se diz o nome, vir te livrar dessa vez. Dessa vez ele vem é buscar tua alma. Que o diabo te carregue! E todos riram.

O delegado Joaquim Inácio Albernaz chegou irritado na companhia de um dos homens de Moreno, visto que fora acordado no meio da noite e teve que deixar a cama da negra mestiça Verônica. Acabou com a gritaria na frente da delegacia. Ouviu um breve relato do capataz sobre o ocorrido, mandou os soldados recolherem os negros no cárcere e no dia seguinte veria o que faria.

Firmino, Daniel, Marciano e Roberto ficaram na cadeia de Joaquim Ignácio por 15 dias à espera de um juiz, pois ele estava em trabalhos urgentes em

Salvador. Moreno se encarregava de insuflar o quanto podia o temperamento feroz do subdelegado. Os quatro permaneceram por lá à base de castigos do vasto e criativo repertório do oficial, que se orgulhava de ser um "homem à moda antiga".

Firmino obviamente sofria, mas tinha uma compleição física que parecia de ferro e aguentava calado, sem esboçar palavra. Já os companheiros muito sentiram os açoites dados em dias alternados, cujos ferimentos depois recebiam sal e pimenta para que cicatrizassem mais rápido.

O juiz nunca chegou, e também não precisou chegar, pois os quatro desapareceram. O subdelegado Joaquim Inácio Albernaz não sabia explicar como a fuga ocorrera, visto que a cadeia era vigiada permanentemente com um forte esquema de segurança. Por dias e dias, diligências buscaram os quatro fugitivos por toda a região, sem sucesso.

A fuga espetacular foi logo alvo da imaginação e criatividade do povo, que agora sim tinha a certeza absoluta de que Firmino tinha algo com o "demo". Alguns diziam que viram a fumaça sair pela casa de detenção e que o "Sujo" viera libertar seu filho pessoalmente. Outros juravam que viram Firmino se transformar em um gigante cavalo negro e, com os três amigos na garupa, desaparecer na noite.

Como conseguira sair da vigilância de Albernaz, seus homens e de Moreno, que tinha aquilo como uma questão pessoal? Ninguém lograva entender e buscavam toda sorte de explicações mágicas. A explicação viria, mas as versões mais aceitas sempre foram as que colocaram a fuga na conta do "Tição", do "Espinhaço-de-cavalo-magro", do "Capataz", do "Infeliz" e tantos outros nomes que descreviam um único personagem: o diabo. Afinal, Firmino "tinha pauta" com ele fazia muito tempo.

Outro fato ainda pôs mais lenha no fogaréu, digamos, literalmente infernal. Assustado com o sumiço do negro e temeroso de que estivesse tramando alguma vingança terrível, Moreno se tornou cada vez mais arredio, desconfiado e louco. Até que chegou a um ponto em que não saía de casa, pois não conseguia vestir nada no tronco, fosse do tecido mais fino, sem sentir que estivesse ardendo em chamas altas. Gritava como se estivesse no centro de uma fogueira. Ele passava os dias com o peito nu, armado até os dentes, esperando "aquele negro de merda". Mal dormia e começou a ter visões com Ângela, a mulher morta há anos.

Assim como a fuga dos "quatro da cadeia", como ficaram conhecidos, ninguém conseguiu explicar como o fogo, não o que Moreno sentia, mas o verdadeiro, começou. A moça que cozinhava para ele disse que foi a garapa. Bêbado, o capataz teria deixado o álcool entornar em uns panos pegos por uma vela que caiu incendiando tudo. Já Luiz, um dos homens que ele pusera de vigia, disse que viu vultos no terreno. A verdade é que ninguém conseguiu salvá-lo e o perigoso Moreno morreu ali mesmo, dentro de casa ardendo no fogo e no ódio que o consumia. Já estavam em 1889, e as altas chamas queimavam o presente e o passado.

Os lugares certos

No dia seguinte do cerco aos libertos, o corpo de Anolina já estava limpo e modestamente arrumado para o sepultamento. Dasdô tomou as primeiras providências, pois, embora Adônis tenha voado para avisar Umbelina, ela não conseguiria se deslocar de sua roça no Outeiro Redondo para oficiar os rituais tão rapidamente. Dasdô preparou Anolina com ervas, para que o corpo pudesse esperar um pouco mais. Embora relutasse e fosse constantemente afastada da religião por Iaiá Bandeira, Anolina era iniciada, e as obrigações fúnebres, seu *axexê*, precisavam acontecer para que partisse para junto dos seus que já estavam no *Orum*, no mundo ancestral, e não ficasse a vagar aqui na Terra, no *Aye*. Depois de metade de um dia, Umbelina finalmente chegou com as suas companheiras de todas as horas Tereza, Dona e outras pessoas tão caras a elas.

A africana estava chegando aos 60 anos e nunca imaginava que iria um dia fazer com Anolina o que fizera com a mãe dela, há mais de três décadas. A emoção tomou conta quando desceu da carroça, pois Dasdô correu em direção à mãe e se abraçou a ela. Ambas sentiam que um pedaço delas mesmas estava indo. Dasdô falava entre soluços:

— Nunca, mãe Belina, nunca em minha vida eu ia imaginá que essas mesma mão que ajudaram a trazê ela pro mundo ia prepará ela pra vortá pra terra.

Umbelina tinha um nó na garganta e um bolo no estômago. As palavras não saíam. Apenas as lembranças do negreiro, de suas rezas por noites e noites para que não morresse ali em alto-mar... Ela raspou a cabeça de Anolina, e partes dos seus objetos pessoais foram enrolados num pano branco para serem sepultados junto com ela.

Abriram uma cova simples ali perto mesmo. Todos vestidos de branco. Mulheres com a cabeça e o pescoço cobertos. Os homens com palha da costa nos pulsos. Martha foi acompanhando tudo automaticamente, sem oferecer resistência. Estava apática e emudecera. No espaço que separava aquele momento da tragédia, a menina envelheceu. Pôs flores para a mãe.

— Mainha, prometo que vou viver bem. Prometo que vou vencê e ... — calou-se outra vez, deixando apenas que as lágrimas rolassem.

Dasdô a abraçou de novo. Já estavam com tudo pronto para partir.

— Fia, tem certeza que num qué mermo que eu vá junto?

— A senhora já fez demais. Agora é comigo e com o Dônis.

Os dois se despediram dos amigos que fizeram ali, mas que também estavam se arrumando para ir para outros lugares. Uns iam para o centro de Cachoeira, outros para Salvador. Dasdô decidiu seguir com Umbelina para a roça no Outeiro Redondo.

— Deus lhe dê uma boa sorte, fia ... E olhe, num deixa de acreditá. Todo mundo tem tragédia na vida, minha pequena. Anolina num ia gostá. Tua vida tá só começando. Cuida do que tá contigo. É uma luz muito linda ...

Ela beijou as mãos da sogra e madrinha. Ainda era cedo quando Martha e Adônis subiram numa carroça com outros ex-moradores do local que iam para Cachoeira. Saíram pelo caminho com a filha e algumas trouxas de roupas. Numa pequena sacola atravessada no pescoço, por dentro da camisa, ele apalpou as economias salvas por Anolina da fúria de Moreno e seus homens.

— Obrigado, Dona Anu! — pensou, olhando para o céu.

No final da tarde, quase noite, o casal atravessava a entrada do engenho no Outeiro Redondo, de onde saíram. Suas vidas estavam recomeçando e tomando um rumo que nenhum dos dois poderia imaginar. Martha e Adônis chegaram pela porta da cozinha e viram Isabel mexendo uma panela grande. Embora já fosse uma senhora, ainda era bem feita de corpo. Aparentemente, nem ela e muito menos os outros empregados sabiam do que tinha ocorrido nas terras do Barão Aragão.

— Boas tardes, Bebel!

Ela deu um grito de susto.

— Ói! Adônis? Adônis!

Os dois se abraçaram pulando como crianças.

— E veja, Martha e ... ? Damiana!

Abraçaram-se muito e Isabel fez os dois sentarem. Serviu-lhes um lanche de bolo de puba e café. Esticou o olho para as trouxas.

— Vieram pra ficar dessa vez? E onde está Anu?

Adônis torceu o chapéu nas mãos, como sempre fazia quando estava nervoso, e Martha abaixou os olhos vermelhos e inchados. Isabel, já aflita, pegou o bebê.

— Pelo amô de Nosso sinhô do Bonfim, o que aconteceu?

— Calma, vamos contar. Primeiro me deixe falar com Iaiá Bandeira.

Em alguns minutos, a matriarca da família apareceu na cozinha. Eles lhe contaram o ocorrido em detalhes, e ela não demonstrou surpresa. Martha reparou nisso, pois dona Emília Bandeira sempre demonstrou algum apreço por Anolina. Isabel escutava tudo em um canto da cozinha, horrorizada. Roberto era filho dela com Firmino. Deu trabalho: quase desmaiou, ficou sem ar, outros tiveram que acudir. Desesperou-se por Anolina, que considerava uma irmã mais nova, e pelo destino incerto do filho e de Firmino, amor que nunca tivera igual. Ao ver o desespero de Isabel, Martha sentiu toda sua angústia transbordar e, embora silenciosamente, deu vazão ao rio de lágrimas que não cessava dentro dela.

Iaiá Bandeira tentava pôr ordem na confusão, sem sucesso. Carregaram Isabel para fora e ficou acertado que Martha ajudaria Isabel e Adônis voltaria a sua função de pesca. Pagariam a estada parte com produtos e trabalho, parte com dinheiro. Os dois ocuparam a tapera que Adônis tinha feito para eles antes do casamento, com espaço para uma roça pequena atrás.

— Tá vendo, Dônis? Lembra do que lhe disse aquele dia no cais? Que os sinhô num ia se conformá tão fácil e que liberdade num existe pra nós? Olhe bem. Tamo aqui, de volta, no mesmo lugá...

Ele fez uma negativa com a cabeça e emendou.

— A terra, o trabalho, as pessoas, tudo pode ser igual, Martinha, mas os lugares de cada um, ah, esses é que nunca mais serão os mesmos!

Martha ainda não conseguia entender ou alcançar a afirmação do marido, pois Damiana ia crescendo como ela tinha crescido, entre a cozinha e a casa-grande do sobrado do engenho. Martha não era escravizada desde o ventre

Água de barrela

de Anolina, mas sua vida não era muito diferente da que a mãe tinha vivido, e isto a incomodava demais. Adônis trabalhava duro na roça, na pescaria e no mercado. Não faltava nunca ao compromisso do dinheiro com os patrões. Ele era orgulhoso demais com isso.

    Adônis a ensinou a ler e a escrever o básico, mas enquanto o marido era muito bom com as palavras, ela descobriu que herdara da mãe um talento para o comércio e que era boa, muito boa, com os números. Não havia quem não se hipnotizasse com a fala de Adônis, mas ela no fundo achava que todo aquele discurso tinha um efeito muito pouco prático em suas vidas. À noite, ele reunia os empregados da fazenda e lia os jornais para todos, contava histórias, estimulava conversas e realmente conseguia fazer com que pensassem em coisas em que jamais pensaram antes. Mas ela enxergava uma mudança nele. Não sabia ainda dizer o quê, mas era como se ele estivesse se retraindo, encolhendo... Um dia, descobriu o que tanto a intrigava. Não ouvia mais o companheiro fazer planos. Onde estava aquele Adônis com tanto desejo de ser livre?

    Na casa, Martha e Maricota voltaram a ter o contato da infância, mesmo vigiadas pela matrona Emília Bandeira e "dentro de certos limites", como advertia a esposa do coronel Francisco Tosta à filha. Percebeu uma coisa que a deixou orgulhosa: viu que conhecia mais coisas que a "sinhazinha" e que, graças a Adônis, tinha uma cultura bastante razoável para uma filha de gente tão simples. Sua habilidade com os números impressionava a patroinha, que a olhava como uma atração circense, pois no fundo Maricota achava que todas aquelas habilidades não a levariam a nada. Tudo continuaria como sempre. Os negros lá e eles, os brancos, cá. Sem as crueldades do passado, no entender dela, mas os papéis estavam bem marcados e definidos há muito tempo, e assim permaneceriam.

    Depois de uma das rotineiras saídas da família para a missa, sozinha no sobrado, Martha "passeou" pela casa. Olhou para os móveis, os cristais, os tapetes e a louça. Sentou-se na cabeceira da mesa e foi como um estalo, uma faísca em seu espírito. Uma pergunta lhe passou zunindo na cabeça: "Por que não eu?". Finalmente entendeu o que Adônis quis dizer. Realmente os lugares nunca mais seriam os mesmos.

"O rei está morto. Longa vida ao rei!" Viva a República!

O Brasil viveu um século em um ano e meio. Primeiro foi sacudido pelos efeitos da oficialização do que já acontecia de fato em grande parte do país, com a assinatura da Lei Áurea, em maio de 1888, e em novembro do ano seguinte os súditos do imperador Dom Pedro II o veriam sair exilado para só voltar muitos anos depois, num esquife que foi enterrado na Matriz Imperial de Petrópolis, no Rio de Janeiro.

Subitamente a paisagem mudou. A família de Iaiá Bandeira — com seus barões com ordem de grandeza e nobres que apoiaram a Monarquia até os últimos minutos e, mais que isso, teve membros embarcados no vapor "Alagoas", que levou Dom Pedro, a Princesa Isabel e todo o clã imperial para a Europa — precisava se posicionar no "novo Brasil" republicano. Como faziam os franceses desde o século XV, não havia tempo para lamentar a morte do rei. Era preciso saudar o novo monarca urgentemente. E a nova ordem era a República. Eles, que fizeram um trabalho de bastidores até as vésperas da abolição para que ela não ocorresse, teriam que lidar com este fato consumado. E foi numa de suas tardes na varanda tomando seus refrescos, executando seus bordados e mirando o jardim a sua frente já sem o viço de outros tempos, que Iaiá Maria Emília Bandeira lembrou um dos ditados que Anolina gostava de repetir quando algo urgente precisava ser feito. Não se lembrava bem das palavras. Era um ditado africano que dizia algo como: "O conhecimento não é a coisa principal, mas a ação que vem dele".

E assim ela resolveu agir: decidiu dar uma festa. Achou que era hora de abrir a casa para as boas famílias da região. Afinal, as filhas e filhos estavam crescendo e precisavam arrumar casamentos interessantes, que garantissem o futuro, o prestígio e a fortuna secular. E por falar em fortuna, as dificuldades já se acumulavam e a situação estava longe de ser o que era antes da "famigerada Lei Áurea" que, segundo ela e seu marido, apenas serviu para jogar às dívidas todos os que realmente construíram o país.

O fato é que o momento era para se estar "cada vez mais perto de quem importa", e dona Iaiá achou uma data ótima para esse fim, o dia oito de dezembro daquele ano — 1891 —, quando Maricota completaria 15 anos. O dia consagrado a Nossa Senhora da Conceição (por isso o nome da filha, Maria da Conceição) teria procissão e missa no final da tarde, seguida de jantar e baile. Convenceu o marido a abrir os cofres, argumentando que era um investimento e que era preciso mostrar que não estavam por baixo.

A tática de sinhá Maria Emília se mostrou até certo ponto eficiente, pois foi nessa famosa festa que foram acertados enlaces preciosos para a sua prole. Alguns concretizados apenas tempos depois. A mais velha entre as meninas, Matilde, por exemplo, estava com 18 anos e começou um compromisso que a levaria ao casamento com Baltazar de Araújo de Aragão Bulcão, neto do primeiro Barão de São Francisco e da Baronesa de Matuim. Essa medida "casamenteira", no entanto, não conseguiu parar o que a História já havia determinado. Não sabiam ainda, mas estavam no fim de uma era.

Os preparativos para o "rega-bofe" foram intensos e Martha trabalhou como nunca. Muita louça para lavar, toalhas para alvejar, prataria para dar brilho, roupas e fatiotas para costurar, passar, engomar, um cardápio digno de reis para preparar. O evento mobilizou a todos no engenho por mais de um mês antes e ainda tiveram que buscar gente de fora. Martha estava cansadíssima e na véspera, na tarde do dia 7 de dezembro, sentiu-se mal ao preparar os bolos e as compotas de doces para as sobremesas que Anolina lhe ensinara tão bem. Pediu à menina que a estava ajudando para continuar a mexer a panela, para que não se perdesse o ponto do doce, e se sentou. Levantou-se para buscar água e não chegou à moringa; desmaiou. Martha acordou com Isabel, as outras mulheres e Adônis aflitos, olhando para ela deitada na esteira. Estava pálida e trêmula, mas se sentia melhor.

— Estamos trabalhando demais por aqui, não acham? Vamos voltar pra lida!

Não adiantou ninguém insistir para que ficasse deitada. Ela estava muito interessada nessa festa. Nunca tinha visto uma desse porte. Sua mãe lhe contava sempre sobre a visita do Imperador Dom Pedro II a Cachoeira, em novembro de 1859. Foram dias de festa nas ruas e nas casas importantes. Como era excelente doceira, foi cedida por dona Carolina para preparar os doces que serviriam de sobremesas e deleite do imperador e da imperatriz dona Tereza Cristina.

Maricota estava ansiosa e preocupada. Em pé, experimentando o vestido cheio de brocados e sedas, ia falando, enquanto Martha lhe prendia alfinetes.

— Querem me arrumar um noivo, Martha! Não sei se quero casar agora... Certamente será um velho barão destes que aparecem por aqui para beber com o senhor meu pai ou um engomadinho filho de algum deles.

— Ora, ora, dona moça e o que de diferente a senhora qué?

Instintivamente Maricota olhou para a janela. Martha entendeu.

— Inhazinha... a vida aí fora não é o que pensa. Não é mesmo...

— A vida pode não ser, Mathinha, mas eles — e meneou a cabeça para os belos negros Felipe e Juvêncio, que arrumavam o jardim — eu aposto que são!

— Inhazinha! — Martha fingiu se escandalizar e a as duas caíram na gargalhada.

Finalmente chegou o dia da festa. Os primeiros convidados começaram a chegar por volta das quatro horas da tarde. Uma hora mais tarde, o Padre Vieira Tosta — mais um deles —, em um elegante traje de linho, seguido por quatro negros que carregavam a pesada imagem de Nossa Senhora em um andor, conduziu a procissão que levou a santa novinha em folha, encomendada a um famoso artista de Salvador, do salão principal do sobrado até à capela, uma construção anexa toda caiada de branco e decorada com muitas flores amarelas. Isabel, enfileirada no final da procissão junto com os outros empregados, sussurrava para Martha que vinha ao lado: "Mamãe Oxum... Yê Yê Ô!".

Foi um dia de glória para os fazendeiros. Estavam momentaneamente de volta aos tempos áureos de que tanto sentiam saudades. Atenderam ao banquete representantes da presidência da província e do próprio presidente Floriano Peixoto, pois o tio de Maricota, Joaquim Inácio Tosta, era um dos 22 deputados pela Bahia que trabalharam no texto da Constituição de 1891, a primeira do Brasil republicano e promulgada em 24 de fevereiro daquele ano. Também presente estava a família de Francisco Prisco de S. Paraíso, igualmente deputado baiano na Assembleia Constituinte e um dos ex-ministros da Justiça do Império.

Os empregados fechavam o cortejo, uniformizados com roupas de algodão especialmente preparadas para o evento, com o brasão da família em campo azul, com uma asna de ouro entre três estrelas de prata de cinco pontas na lapela. As mulheres com vestidos de alvo algodão rendado, um pano da costa azul cruzado ao peito jogado nos ombros e preso na cintura, com turbantes da mesma cor em lindas amarrações. Os homens com camisas brancas com uma faixa e calças do mesmo tom de azul dos turbantes femininos. Tudo muito elegante.

A procissão foi seguida pela missa e esta por um jantar regado a tudo o que havia de melhor. Vinhos importados, os licores artesanalmente preparados e guardados no escuro há um ano para "apurar o sabor" saíram das garrafas, os pratos salgados esmerados e os doces preciosos que faziam a fama da casa. Depois do jantar, os homens acenderam seus charutos fabricados com qualidade internacional ali mesmo na cidade e pegaram seus licores para conversar sobre os temas mais quentes do momento. As mulheres formaram animadas rodas de conversa e os jovens partiram para as danças. Bailaram polcas, valsas, xotes, mazurcas, quadrilhas.

Joaquim Inácio Tosta relatava como brigou contra a secularização, o processo pelo qual a religião perde influência sobre aspectos da vida social. Como lutou para que o Brasil tivesse uma constituição que garantisse um governo que reconhecesse os princípios fundamentais do cristianismo. A discussão estava inflamada, pois a Constituição de 1891, afinal, marcou a separação entre igreja e Estado, predominando a visão de outro baiano, Rui Barbosa, o revisor do texto. Joaquim Inácio foi capaz de reproduzir as palavras que dissera na ocasião dos debates.

— "Uma sociedade em que o Estado e a religião estão em luta não pode ser senão uma sociedade profundamente perturbada. Por outro lado, uma sociedade em que a religião e o Estado pretendem ignorar-se mutuamente é quase uma sociedade impossível. Eis uma verdade incontestável".

Incentivados pela bebida consumida em grande quantidade, alguns jovens se levantaram contra a argumentação de Joaquim Inácio, entre eles amigos do filho mais velho da anfitriã da casa e irmão da aniversariante — Francisco Bandeira Vieira Tosta —, que se formaram com ele naquele mesmo ano bacharéis em Direito pela Faculdade de Recife, a mesma de um dos convidados, Prisco Paraíso, que tentava explicar aos jovens que o modelo defendido por eles na constituinte propunha um Estado livre e uma religião livre, ou seja, apesar de laico, o Estado não baniria a religião da vida pública.

— Não abolir Deus da carta constitucional não significaria que seríamos governados pelo clero! Creio que cada estado brasileiro deveria gerir esta questão da maneira que melhor entendesse — disse o doutor Prisco.

O debate seguia quente, e Martha estava na função entre a cozinha e o salão quando ouviu um barulho discreto. Uma pedra pequena atirada na janela da cozinha. Achou que não era nada e já ia levar uma bandeja cheia de bebidas quando o barulho se repetiu. Saiu pela porta dos fundos e não chegou a avançar no quintal. Sua boca fora tapada por mãos grandes de homem e ela foi puxada para um canto escuro. As mãos a soltaram e ela levou um susto quando se virou: "Roberto!".

Depois do assombro com a aparição do rapaz que nunca deixara de ser procurado, combinou com o amigo que o encontraria ali mais tarde, que tivesse paciência para esperar. Sua cabeça fervilhava de curiosidade, mas as horas não passavam e aquela festa parecia não ter fim. Apressada, retornou para servir mais vinho aos homens na sala enevoada pela fumaça dos charutos. Para o constrangimento de alguns poucos, entrou no exato momento em que o tema já estava em outro ponto.

— Eu congratulei este governo por terem destruído documentações referente ao nosso maior atraso: a escravidão negra! Uma nódoa que precisa ser extirpada. Inclusive certos costumes que nos aproximam mais da barbárie africana que dos centros mais evoluídos do planeta — defendeu Prisco Paraíso.

Um breve silêncio e certos olhares enviesados com sua entrada intempestiva a fizeram pensar que o assunto era com ela. E de certa forma era. Quando finalmente o último convidado se foi, Iaiá Emília perfilou todos os que trabalharam e foi pagando um a um. Podia-se ver a contrariedade em seu rosto, apesar da quantia ínfima pela quantidade enorme de trabalho que tiveram. As contas já estavam feitas na cabeça de Martha. O pagamento de todos eles juntos não comprava dois leitões assados para o banquete ou mesmo três daquelas garrafas de vinhos importados.

Martha fizera de tudo naquela recepção. Adônis auxiliou no cuidado com os cavalos, carroças e carruagens dos convidados. Damiana ficou com Dasdô, que veio ajudar nos afazeres. Depois de tudo terminado, com a desculpa de que tinha de auxiliar na arrumação, Martha despistou Adônis e foi ver Roberto levando uma garrafa de água, outra de aguardente e um prato com sobras de várias comidas ótimas. Não sabia o motivo, mas achava que não devia envolver o marido nisso.

— Cadê tio Firmino? Onde é que ocês andaram todo esse tempo? Como escaparam da polícia? Como conseguiram se esconder?

Martha não deu tempo de Roberto respirar com tantas perguntas que não apenas ela, mas toda a população se fazia. Ele riu.

— Ô, calma muié! Calma... Bem, tu sabe que o delegado dorme com a Verônica, num sabe? Ah, num me diga que não, porque toda gente sabe desse fuxico!

Os dois gargalharam, e ele, entre um gole de garapa e outro, entre uma mordida e outra nos assados e doces, contou o que todo mundo queria saber. O delegado Joaquim Inácio Albernaz arrastava uma carroça por Verônica há tempos, mas a preta fez um jogo duro danado até que cedeu ao assédio do homem, que ficou ainda mais derretido por ela. Esperta, Verônica sabia manipular o desejo do poderoso de acordo com suas conveniências, mas, se Joaquim Inácio arrastava uns dez bois por ela, pelo seu lado ela dava uns 30 por Firmino. A história dela com Firmino era coisa antiga. Um belo dia, ela apareceu na delegacia e os guardas de plantão, sabendo do envolvimento do chefe com a moça, deixaram-na passar sem restrições. Martha ouvia com interesse de criança ouvindo uma história boa.

— Ela começou um "trelêlê" com eles, dizendo que procurava o delegado, e no meio da conversa, como quem num qué nada, ofereceu bebida e uma galinha com um cheiro perfumado que ia até Salvador. Ela sabia que o Albernaz num ia aparecê. Tinha dado uma erva forte pro homem, que ficou dormindo quase o dia todo. Os abobalhado dos soldados tudo caiu na comida e na bebida. Quando estavam bem alegre, entraram umas amiga dela e a diversão foi grande. Ela, de mansinho, rodou pela delegacia, zoiô tudim e viu que tinha uma janelinha lá no alto do nosso xilindró. Quando ficaram zonzos, pegou as chaves e prensou numa barra de sabão. Uns quatro dias depois voltou por lá procurando de novo o delegado e dessa vez ele estava lá. Falou umas bobagens com o diacho do Albernaz, levou um bolo de fubá, fez uns cafuné e deixou em cima da mesa dos guarda, como se tivesse esquecido, num sabe? Um pacote com umas três garrafas de garapa da boa. Pronto. Foi o disgrama do delegado botá o pé fora que os tonto se emborracharam na pinga e durmiram. A Verônica só teve o trabaio de jogá as chave por em cima da janelinha. Quando foi bem dentro da madrugada, ninguém na rua, nóis saiu e ganhô mundo.

Martha achou tudo muito engenhoso e até fácil. Só não entendia como conseguiram evaporar, desaparecer por tanto tempo.

— Isso tamém foi engenho daquela nega mais pai Firmino!

Quando saíram da delegacia, enfiaram-se numas caixas de mercadorias que estavam empilhadas há uns dias para embarcar pra Salvador. As caixas já estavam preparadas com alguns furos. Foi muito incômodo, mas ficaram ali dentro até de manhãzinha, quando os carregadores levaram as caixas para o vapor. Dois dos carregadores sabiam do plano. No meio das outras mercadorias, no porão da embarcação, conseguiram sair um pouco. Quando se aproximavam de Salvador, voltaram para as caixas, e uma vez no porto, foram saindo aos poucos e se misturando com o povaréu.

— Que risco, Roberto!

— E nós tinha alguma coisa pra perdê? Era isso ou morrê de açoite na mão daqueles cão ou do tal de juiz. Isso tudo foi ideia da Verônica, dos preto que conseguiram escapar do cerco do Moreno e do pai Firmino... que acho que têm parte mermo com o capeta — E coçou a cabeça. Os dois riram bastante. Ele contou sobre Salvador, que afinal até aquele momento ela ainda não conhecia. Ela falou da família e como era a vida ali depois da libertação.

— Acredita, Roberto, que o Barão de Muritiba e a mulhé foram pro estrangeiro com o imperador? Aqui foi um trelelê porque uns acharam acertado e outros não. E tava uma discussão pra sabê se iam fazê a festa de Maricota ou não por conta do acontícido.

Roberto franziu a testa. Martha se referia ao falecimento de Dom Pedro II em Paris, no dia 5 de dezembro, apenas três dias antes da festa no engenho. Graças ao aparelho de telégrafo no centro da cidade, o falatório correu rápido, e os familiares na França, que receberam convite para a festa muito antes da morte do imperador, pediram que a festança fosse cancelada.

— Ficaram brabos e outros aqui também, mas Iaiá Bandeira e o coronel disseram que já gastaram muito e que não eram mais tão rico pra jogar fora tanta comida e que não eram parentes do rei. Foi um bate-boca...

— O imperador num merecia sê expulso assim, num acha? A fia dele que fez a tal lei que deixô livre os preto — observou Roberto.

Ela deu de ombros, mas se Adônis estivesse na conversa diria que, apesar de Manuel Vieira Tosta, o segundo Barão de Muritiba, e sua mulher, Maria José Velho de Avelar, a famosa Madame Avelar, que era amiga de infância da Princesa Isabel, serem íntimos do imperador e sua família, outros membros dos Tosta não gostaram nada da forma como foi feita a emancipação dos escravos. Não se conformavam com a falta de indenizações aos proprietários de tanta mão de obra e pularam facilmente de lado no jogo de bola assim que viram que a República era fato consumado. O barão, filho do primeiro Barão de Muritiba, ministro imperial e sobrinho do Barão de Nagé Francisco Vieira Tosta, foi o último procurador do Império e sua mulher detinha o título de Dama do Paço, dado pela Princesa Isabel. Eles tratavam a princesa e o Conde D'eu por "tu" e Manuel foi um dos que seguraram a alça do esquife do imperador.

Dois anos antes dos quinze anos de Maricota, no sábado, dia 9 de novembro de 1889, os barões com grandeza de Muritiba valsaram e confraternizaram com a Monarquia e seus mais de três mil convidados no baile da Ilha Fiscal, no Rio de Janeiro. Uma magnífica festa em homenagem aos oficiais do navio chileno Almirante Cochrane, mas que na verdade celebrava as bodas de prata da Princesa Isabel e do Conde D'Eu, além de uma tentativa de demonstração da força do regime monarquista. Elegantes e ricamente vestidos, com Madame Avelar — ou Mariquinhas para os íntimos — usando joias tão lindas que sozinhas eram um foco de luz, conversaram com o conterrâneo do barão, o cachoeirano abolicionista André Rebouças; e brindaram com os Barões do Loreto, amigos íntimos da filha de Dom Pedro II e seu marido.

O segundo Barão de Muritiba, em seu fraque cheio de comendas enchendo o peito, com os cabelos e bigodes besuntados de brilhantina inglesa da marca Fritz Marck and Co, trocou ideias com o chefe do Gabinete Ministerial do Império, o Visconde de Ouro Preto. Mariquinhas desfilou entre os populares que se reuniram desde cedo no Cais Pharoux[9] para ver o embarque dos poderosos rumo à ilha na Baía de Guanabara, penteada por cabeleireiras francesas e usando um vestido ricamente ornado, comprado em uma cara loja da Rua do Ouvidor.

Uma semana depois de todo o fausto, no dia 15 de novembro de 1889, eles estavam tristemente reunidos no Paço, junto com toda a família imperial, André Rebouças, os Loreto e outros. Embora não fossem instados pelos republicanos a fazê-lo, de livre-arbítrio embarcaram com os monarcas no Vapor Alagoas para o exílio na Europa, onde estavam até aquele momento. A transformação pela qual passava o país estava ali, embora Martha e Roberto não percebessem naquele momento. Como uma pedra jogada ao lago que forma círculos concêntricos que vão longe, tudo isso os afetaria.

Naquela noite, três anos depois do dia trágico da morte de Anolina e que se viram pela última vez, Roberto olhou para Martha. Estava diferente, mais mulher talvez e muito linda naquela roupa de festa. Ela quis saber:

— E o que é que vosmicê tá fazendo aqui agora?

— Eu é que te pergunto, Marthinha, o que é que ocê ta fazendo aqui agora?

Ela paralisou. Não sabia o que responder, pois também não sabia. A mente voou para Adônis e Damiana.

---

[9] Atual Praça XV, no centro do Rio de Janeiro.

— Eu vim pra vê umas mercadoria aí que vamo vendê por lá, mas tamém pra te dizê que tô vivo e a hora que ocê quiser também viver, te recebo. É preciso agir, Martha, o cativeiro se acabô e a vida tá passano.

Ela paralisou mais ainda. Ele disse a ela onde estava em Salvador, beijou suas mãos, e assim como veio, na sombra da noite desapareceu.

Martha voltou caminhando sob a luz de uma lua cheia. Já ia entrando para deitar ao lado do marido e da filha na esteira. Mas parou de susto com uma voz na entrada da casa. Esqueceu que Dasdô estava ali.

— Tá preparada, Dona Martha?

— Uia! Qué me matá de susto?

As duas riram.

— Preparada pra quê?

— Pra outra ... Ocê tá prenha, fia.

Martha e Adônis
Terceira Parte

Tia Nunu falava animada e sem parar. Misturava cantorias com descrições de lugares, de objetos, de pessoas e, revirando os olhos cegos, tentava se recordar de cada detalhe. Lembrava-se de Dona Maricota, que às vezes era chamada como a mãe de "Iaiá Bandeira" e do marido dela, seu Adolpho Santos Silva.

— Um homem imponente que quase foi um presidente da Bahia!

Lembrava o piso de tábuas enceradas da rica casa de Iaiá Bandeira, o corredor comprido, os cômodos e varandas e contava como a tia, Maria da Glória, que chamavam de Dodó e era a irmã mais nova de Damiana, trabalhava noite e dia.

— A gente foi até lá várias vezes pra tirar Dodó daquela casa, mas a branca chorava, se lamentava, dizia: "eu não sei fazer o que Dodó faz. Ela é muito bem tratada aqui. Não, ela não vai embora! Nós não a tratamos bem?" Uma consumição que só vendo... Uma banana! Ela dizia isso na nossa frente e por traz, ó! (fez um gesto de castigo). Mas Dodó era muito querida por todas as filhas dela.

— Mas tia, você não me disse que Dodó morreu de tanto trabalho que lhe davam? Que morreu sem cuidados e explorada? Como poderia ser "querida"?

— Ah, filha, essas são coisas que vêm do tempo do cativeiro!

O curso incessante do tempo e os segredos insepultos

O tempo é como farinha numa peneira: não se pode impedir que escorra rápido até sobrar apenas o que não pode passar em seus orifícios. E ele seguiu seu curso implacável para os que cumpriam as tarefas braçais da vida e fluía em seu passo lento para os que desfrutavam do ócio nada produtivo. Na visão dos que viviam para servir, a maioria dos senhores apenas arrumava formas para não fazer nada. Maneiras inventivas certamente, mesmo assim inúteis.

O que poderia pensar alguém que cortasse cerca de quinze toneladas diárias de cana, do alvorecer ao entardecer, em jornadas de mais de 12 horas de trabalho, ao ver pessoas como dona Emília Bandeira, por exemplo, que ia envelhecendo bordando e tomando sucos na varanda? O que poderia passar pela mente de alguém que lavasse, enxaguasse, passasse, arrumasse, alvejasse e cozinhasse ao testemunhar Iaiá Bandeira num eterno ir e vir de Salvador para acompanhar o marido nos compromissos, ou o contrário, para deixá-lo só para as tarefas da política e do comércio?

É possível especular que alguns finalmente se convencessem de que aquela era a ordem natural das coisas, que a gente preta havia nascido para aquilo mesmo e destas tarefas jamais sairiam, mas é também provável que outros nunca se conformassem com esta ordem.

Estavam nos primeiros anos da década de 1890, e Dona Emília Carlota Bandeira passava horas sem conta sentada na varanda costurando, tomando refrescos e falando da vida dos muitos membros da enorme família, ao lado de todas as filhas. Com exceção de Carolina, que como Martha casou aos 13 anos, todas subiram ao altar muito tarde.

Alguns diziam que isso era fruto da extrema "carolice" das moças, pois embora a religiosidade fosse considerada uma virtude, ninguém aguentava tanta igreja. Outros diziam que era por conta da arrogância, pois nenhum pretendente era bom o suficiente para elas, e um terceiro grupo cochichava que a decadência econômica, que começava a dar seus sinais inequívocos, afugentava os bons partidos. O fato é que a matriarca entrava nos anos cercada por mulheres maduras e solteiras.

Quando Martha teve certeza de sua segunda gravidez, decidiu que era hora de deixar a terra dos Tosta. Isto abriu a primeira grande crise com Adônis, que não queria se afastar de maneira alguma da roça que cultivavam. Eles ainda tinham a maior parte do dinheiro deixado por Anolina, e ela não entendia por que continuavam presos ali. Combinaram que depois do nascimento da criança ela iria para a cidade. Acertou de ficar na casa de tia Dona, uma senhora da comunidade religiosa de Umbelina.

Umbelina foi uma das felizardas que ganharam a alforria quando a abolição estava muito próxima e já era algo inevitável. Alguns donos de escravos resolveram mostrar que não eram tão insensíveis assim e alforriaram várias pessoas, sinalizando para os outros que entendiam que os tempos tinham mudado. A esperança era não se verem totalmente sem mão de obra de uma hora para outra. Umbelina tinha conseguido inclusive permissão para ficar em um pedaço de terra no Outeiro Redondo, comprada da família de Iaiá Bandeira.

Martha possuía o dinheiro deixado pela mãe, e seus famosos doces lhe garantiriam um sustento extra. Este era o começo de um afastamento físico de Adônis que já se observava há um tempo no campo afetivo. Ela nutria anseios e ambições que Adônis não compartilhava. Estavam neste pé de acertos quando aconteceu algo que iria mudar os destinos da família.

Anolina e Martha sempre foram mantidas muito perto dos senhores. A mãe morreu sem saber quem era de verdade o pai da filha e sempre se esquivou nas poucas vezes que Martha perguntou. A moça se conformou com o fato de nunca saber, pois Umbelina, Dasdô e Isabel eram túmulos caiados sobre o tema. Esse era um tabu. Mas Martha soube das possibilidades de sua origem de forma inesperada, pois a verdade, assim como o tempo, era impossível de deter.

Nos dias que se seguiram à festa dos 15 anos de Maricota, Iaiá Bandeira e a filha tiveram uma acirrada discussão, com gritos e lágrimas. O pai estava em Salvador, e a jovem decidiu se rebelar. Ela se recusava a continuar com a busca casamenteira em que a mãe se lançou para arrumar-lhe um bom partido, pois agora estava de olho em um barão viúvo e com 25 anos a mais que a moça. Em sua opinião, dona Emília estava obcecada e apelando.

— Não quero saber disso! Quero ir para Portugal ou Paris e estudar!

— Estudar? Não me faça rir, Maria da Conceição! De que servem estudos para uma mulher, para uma verdadeira dama? Você precisa de um homem que a proteja, que garanta seu futuro em nossa sociedade! Está louca?

— Homem que garanta meu futuro como o senhor meu pai e suas 20 amantes mensais? Acha que não sei que ele dormia com todas as negras aqui, enquanto a senhora minha mãe se enfurnava na igreja e paria um filho atrás do outro em Salvador? Nem ao menos a ama Anolina lhe escapou e Martha...

Um tapa estalou em seu rosto e as lágrimas brotaram instantâneas nos olhos das duas. Sinhá Emília Carlota subiu as escadas e se trancou no quarto o resto do dia. Maricota saiu correndo porta afora para ficar em silêncio e amuada embaixo da mangueira no quintal pelo resto da manhã, observada de longe pelas irmãs que, assustadas, ouviram da varanda o bate-boca... E as empregadas da casa ouviram tudo na cozinha. Dasdô, petrificada, fechou os olhos. Isabel colocou as duas mãos na boca, como se a informação tivesse saído dela, e Martha girava os olhos com as mãos na cabeça, entendendo quase tudo de súbito. No dia seguinte, passou a mão em Damiana e rumou para a roça de Umbelina. Ela então conversou longamente com a moça, repetindo quase que literalmente o mesmo relato que fizera a Firmino há 17 anos, quando ele retornou à cidade depois da guerra. Em síntese, ela e Maricota poderiam ser primas ou irmãs.

Depois de saber do teor da discussão, Francisco recriminou fortemente a mulher. Disse que ela estava perdendo o controle sobre tantas filhas e que era hora de tomar providências sérias. O que Maricota arrumou foi que o pai a colocasse no Educandário Nossa Senhora das Mercês, em Salvador, pois para lá estavam sendo mandadas moças de muitas famílias poderosas. As irmãs saberiam como colocar as filhas no trilho para serem boas esposas e mães. Iaiá Bandeira entrara em forte abatimento.

Martha decidiu não alterar seus planos: sairia dali após o nascimento do bebê. Na verdade, pensou, aquela informação não lhe valeria de muita coisa naquele momento e ainda lhe daria a desculpa perfeita para se afastar sem perder o apreço de sinhá Emília. Refletiu que precisava pôr em prática o que sempre lhe disse sua mãe: de nada adiantavam em suas vidas os ódios expostos contra os senhores. Tinha que ser inteligente e continuar nas relações daquela gente, ao menos por enquanto. Em julho do ano seguinte, nascia, também pelas mãos de Dasdô, mais uma menina: Maria da Glória.

— Dônis, vem com a gente. Vamo mudá de vida... — suplicava Martha.

— Não posso. Lutei demais para ter direito a isso aqui. Todos nós lutamos demais, Marthinha...

— Mas, Dônis, a gente continua sem ter nada. Será que num vê?

Martha mudou-se para a Rua da Cadeia, em Cachoeira, com as duas filhas. Ela foi até Iaiá Bandeira e comunicou seus novos planos. Como dizia Adônis, os lugares nunca mais seriam os mesmos e algo mudou no tom da conversa. Antes seria um sacrifício para ela enfrentar Iaiá para contrariá-la. Ela praticamente pediria permissão de olhos baixos e voz sumida. Desta vez, embora ensinada por Anolina a ser educada com todos, olhou-a de frente. Fez a proposta de auxiliar Isabel, que já estava ficando cansada, na lavagem da roupa em troca de pagamento.

— Vosmicê não se impressionou com aquele destempero de Maricota, certamente? Ela não sabe o que fala. Está com os arroubos da juventude e... — Constrangida, não conseguiu prosseguir, pois Martha a cortou secamente.

— Num ouvi nada, não sinhora. Agradicida por tudo inté agora — Falou, sem mover um músculo, sem dar um único sorriso e sem tirar os olhos negros e grandes das retinas azuladas de dona Emília Carlota.

Iaiá Bandeira não falou mais nada e mirou Martha intrigada, sem saber o que realmente estava passando pela cabeça da moça. As duas se despediram com um breve aceno de cabeça. Assim, ao lado dos tachos de doces que seriam vendidos, estava sempre a barrela esquentando no fogão para alvejar semanalmente lençóis, vestidos, lenços, anáguas e toalhas.

Kabiyesi Xangô, kawo kabiyesi Xangô Obá Kossô (Vamos todos ver e saudar Xangô, Rei de Kosô)

Xangô é o orixá da justiça. Seu oxê — machado com duas lâminas — corta para os dois lados, olha sempre dois pontos de vista. Ele representa a imparcialidade que um justiceiro deve possuir. Martha gostava do canto que abria a cerimônia da "Fogueira de Xangô", a que todos os anos assistiam na roça da avó Umbelina.

A dupé ni mòn oba e kú ale

A dupé ni mòn oba e kú ale

Ó wá, wá nilé

A dupé ni mòn oba e kú al

("Nós agradecemos por conhecer o rei. Boa noite a Vossa Majestade. Ele veio, está na terra").

Pensava muito sobre esta última parte: "Ele veio, está na terra". Por mais que olhasse, não conseguia ver justiça em nada. Tinham sido capachos desde sempre daquela família que fez tantos sucumbirem com castigos, com uma quantidade insana de trabalho e toda sorte de humilhações. Eles, ao que tudo indica, estavam entre os mandantes da tragédia que matou sua mãe, a mulher que por anos foi usada por eles em todos os sentidos... Onde estava o rei da justiça que estava na Terra, mas não se mostrava aos olhos dela?

Tia Dona era uma mulher fina. Extremamente perspicaz, ela percebeu todos os conflitos que atormentavam a moça. Embora Adônis não faltasse em atenção com a família mesmo a distância, ela cuidava de duas crianças sozinha a maior parte do tempo e precisaria de força e fé. Martha sempre fora um tanto rebelde e ressabiada com a religião. Muito porque tinha Umbelina e Dasdô de um lado, mas fora criada debaixo dos olhos de Iaiá Bandeira, sempre apegada aos santos da igreja e forçando quem estivesse ao redor a comungar da mesma fé. A moça não tinha a disciplina necessária para seguir porque no fundo duvidava. A dúvida é a mãe da inteligência — refletia tia Dona —, mas inimiga da ação. A desconfiança paralisa os pés. E precisavam prosseguir para não sucumbir.

Delicadamente, como era de seu feitio, tia Dona convidou Martha para uma merenda, um passeio na beira do rio Paraguaçu com as crianças. Foi um dia adorável como há muito não tinham. Damiana brincou com outras crianças que apareceram, Maria da Glória, ainda bebê, dormiu tranquila depois de ser amamentada, e as duas puderam calmamente falar da vida.

— A maré está enchendo e a correnteza é muito forte, não é mesmo, filha?

— Dá medo quando o rio está assim. É uma força impressionante!

Elas ficaram um tempo em silêncio, apenas admirando a paisagem e deixando-se hipnotizar pelo movimento da água. Tia Dona, sempre serena, ponderou:

— Deixe lhe falar uma coisa. Nós somos pequeninas formigas diante do mistério da natureza. Ela tem suas razões. Agora podemos não entender nada, mas o futuro sempre traz as respostas. Os Orixás, filha, e a natureza são uma coisa só. Eles são a vida, são as coisas da nossa vida neste mundo. A justiça é nossa estrada. Você acha que estamos fora dela? Nada disso. Confia.

E continuaram conversando calmamente. Martha conseguiu falar o que nunca verbalizara para ninguém. Suas inseguranças com Adônis, suas ambições pessoais, o que pensava sobre a família a que serviram sempre. No dia seguinte, arrumaram as crianças e foram ver Umbelina debaixo de uma chuva intensa que as pegou de surpresa no caminho. Trovões assustavam as meninas e raios riscavam o ar. Tiveram que se abrigar numa tapera no meio da estrada, quando perceberam que a sacola de tia Dona havia se perdido pelo caminho.

Quando a tormenta acalmou, Martha deixou a amiga com as filhas e refez sozinha ao menos parte do trajeto para ver se encontrava a trouxa. Perto de uma árvore, viu o embrulho encharcado, e perto dele, um objeto lhe chamou a atenção. Era uma pedra. Nunca tinha visto uma igual. Era metalizada e parecia uma broa da qual tiraram uma fatia. Decidiu levá-la. Quando Dona bateu os olhos na pedra, teve vontade de chorar. Era um objeto extremamente sagrado. Uma "pedra de raio"[10]. Na hora, ela entoou uma reza, um bonito cântico para Xangô Aganju.

Oba ìrú l'Òkò	*"O rei lançou uma pedra.*
Oba ìrú l'òkò	*O rei lançou uma pedra.*
Ìyámasse kò wà	*Ìyámasse cavou ao pé de uma grande*
Ìrà oje	*árvore e encontrou.*
Aganju ko mā nje lekan	*Aganju vai brilhar, então, mais uma vez, trovão*
Ārá l'òkò láàyà	*Lançou uma pedra com força (coragem)*
Tóbi òrìsà, Oba só òrun	*Grande Orixá do orun (terra dos ancestrais), vigia*
Ārá oba oje"	*O rei dos trovões, no pé de uma árvore (pedra de raio)"* [11]

A partir daquele dia, incentivada e auxiliada por Dona, Martha se compenetrou mais em suas obrigações religiosas. Com tia Dona para auxiliar com as crianças, pôde ficar recolhida, cumprir todos os ritos e finalmente se tornar de verdade uma filha de Xangô. Terminou sua iniciação e recebeu das mãos de Umbelina outro objeto precioso: o fio de contas de Gowon. Após o

---

[10] "... o fogo da natureza, como também os meteoritos, a que é atribuída a origem celeste, é que lhe confere supremacia e distinção dos mortais. Os *edun ará*, ou pedras de raio, constituem-se no seu principal artefato, simbolizado tanto no seu machado duplo como nos otás (rochas ou machados neolíticos) que compõem os seus assentamentos, local de veneração onde estão contidos objetos de múltiplas origens, especialmente as pedras ditas meteóricas" (Barros, José Flávio Pessoa de. A Fogueira de Xangô. Pallas, 2009. P. 134).

[11] "Neste momento. Como Aganju, o alafim de Oió, filho de Ajaká e sobrinho de Xangô. Iamassê, considerada sua mãe, revela aos mortais a pedra de raio, símbolo de seu poder, encontrada ao pé da grande árvore" (Barros, José Flávio Pessoa de. A Fogueira de Xangô. allas, 2009. P. 102).

parto de Damiana, Firmino entregou o colar numa das idas de Umbelina para cuidar de Martha. Pressentindo que talvez entrasse em mais uma grande guerra das muitas de sua vida, preferiu deixar com ela, pois já era um homem próximo dos 50 anos e podia não viver para entregá-lo ao seu próximo guardião.

Enfim, a vida parecia estar ganhando o ritmo que Martha queria. Trabalhava muito, mas conseguia ganhar para auxiliar Dona na casa e ainda juntar mais algum ao dinheiro que Anolina lhe deixou e no qual ela fazia o possível para não tocar. Trabalhava no mercado, lavava as roupas de Iaiá Bandeira e finalmente conheceu Salvador, aonde ia agora com alguma frequência vender quitutes, os produtos da roça de Adônis e de outros. Não deixaram de se gostar, de ser uma família, embora sentissem que suas vidas estavam tomando rumos diferentes. Martha estava se tornando uma comerciante relativamente bem-sucedida e conhecida. Pessoas influentes que frequentavam a casa dos Bandeira Tosta a reconheciam, tomavam seus serviços, e esses conhecimentos lhe abriram muitas portas.

Adorava ouro e comprava pulseiras, brincos, anéis e colares sempre que podia. Comprava também muitas pulseiras de coral. Tudo no mesmo ourives que servia a família de Iaiá Bandeira, na Rua dos Ourives. Tinha balangandãs pendurados à cintura, e as pulseiras subiam no braço que ficava livre do pano da costa jogado em um dos ombros. Sempre quis ter um balangandã igual ao chaveiro de prata que via sempre, quando era criança, pendurado na cintura de Iaiá Bandeira.

Damiana e Maria da Glória estavam tendo uma infância feliz, criadas soltas na natureza e mais por tia Dona, Dasdô e Umbelina que pela mãe, que muito trabalhava. Elas chamavam as três de avós. Apesar do ritmo frenético de atividades para ganhar dinheiro, Martha era ativa na comunidade religiosa. Executava uma dança para Xangô admirada por todos pela extrema beleza e precisão. Um dia foi aconselhada a não repeti-la em local nenhum que não fosse a sua casa de candomblé, mas vaidosa como era, não resistiu aos apelos para dançar em uma festividade a que foram convidadas. O que aconteceu no dia seguinte virou uma história que atravessou as gerações familiares.

Ela estava se preparando para embarcar para Salvador para mais uma jornada de vendas. O vapor de Cachoeira era uma festa. Velhos amigos se encontravam, ganhadeiras iam vendendo ali mesmo seus produtos, gargalhadas e vez ou outra uma briga, uma navalha, uma face cortada. Num desses dias agitados, quando estava se equilibrando para subir na embarcação, o balaio com toda a sua mercadoria caiu no rio. Pescadores no local mergulharam rápidos, mas o barco seguiu seu curso com ela dentro, de mãos vazias e chorando pela perda dos artigos. Um dia de trabalho perdido e um prejuízo muito grande. Retornou à cidade e, assim que pôs os pés no cais, um homem veio correndo em sua direção, com o balaio nas mãos e quase intacto.

— Dona Martha! Só num consegui foi sarvá essa galinha — e mostrou o bicho morto.

O pescador tinha conseguido resgatar quase tudo. Quando voltou ao terreiro, foi repreendida e advertida severamente.

Martha vendia tudo o que podia e onde encontrasse espaço. Uma comerciante nata. Em Salvador, conseguiu um lugar num ponto na freguesia da Penha, no caminho para a igreja do Bonfim, mas percebeu que tinha que diversificar sua oferta. Muitas ganhadeiras vendiam doces e, entre elas, uma moça simpática e tranquila chamada Maria Capitulina ou Tutu, que vendia mingaus de milho, de tapioca e outros doces muito apreciados. Quando souberam que ambas vinham do Recôncavo, tornaram-se amigas. Para fugir da concorrência com ela e outras, Martha passou a negociar carnes e peixes em saveiros no Cais do Ouro. Muitos saveiros iam buscar as mercadorias nos navios, que por conta da pouca profundidade não conseguiam atracar no cais. Esses saveiros vendiam os produtos a trapiches da orla e a alguns comerciantes de ganho nas ruas.

Tutu era uma moça que parecia ter a mesma idade dela, 22 ou 23 anos; era uma mulher vistosa com sua saia de roda, bata rendada e muitas pulseiras. Sua tez negra retinta era tão lisa que mais parecia um tapete. Seus olhos vivos e tão negros quanto sua pele sobressaíam num rosto impossível de esquecer. Tutu ostentava marcas pelo corpo, escarificações. Essas marcas eram comuns em alguns grupos; no entanto Martha não conseguia identificar as dela e não se sentia à vontade para perguntar. Ela era casada com um mecânico bastante famoso e muito requisitado, senhor Matheus Cruz. Ele tinha estado na Inglaterra e foi responsável pela montagem de caldeiras do Plano Inclinado Gonçalves, inaugurado no ano em que a República foi proclamada, 1889. Matheus era um homem sério e não suportava ver a mulher vendendo nas ruas, mas por enquanto seus rendimentos ajudavam bastante.

Anos mais tarde, na primeira década do século 1920, os dois prosperariam tanto materialmente quanto em filhos. Eles teriam uma prole de seis homens e uma mulher. O confortável sobrado habitado por eles, ali perto, na Praia da Ribeira, seria visitado por Martha e sua família várias vezes e por muitas décadas entrelaçaria histórias. Nesse ano de 1898, nenhuma das duas poderia imaginar nada disso, mas não vamos nos adiantar. Um dia, Capitulina a convidou para ir com ela à casa de velhas amigas no Pelourinho, e foi assim que Martha conheceu Eugênia Anna Santos, mãe Aninha, a iyalorixá filha de Xangô, conhecida como Iyá Obá Biyi.

Assim que foi apresentada à mãe Aninha e soube de sua consagração a Xangô, não pôde deixar de sorrir e pensar que tia Dona tinha realmente razão: "A justiça é nossa estrada". Entrou numa residência onde estavam outras mulheres, além de mãe Aninha. Todas faziam lembrar demais tia Dona pela forma educada e nobre como se portavam, pela maneira como se tratavam entre elas e como se dirigiam aos outros. Viu que a casa recebia muita gente necessitada. Viu uma mulher que perdera uma das mãos em uma máquina de moer cana e por isso foi vendida a preço muito baixo pela antiga senhora a um dono de trapiche, que a explorou como prostituta. Quando o homem morreu, ela, já com certa idade, passou a viver doente e mendigando pelas ruas até ser acolhida ali. Encontrou uma moça que falava e ouvia, mas pouco se comunicava com os demais. Vivia recolhida em seu mundo e fazendo algumas tarefas mecânicas que as moças lhe davam. Conheceu tanta gente marcada que sentiu um pouco de vergonha, pois se deu conta de quão privilegiada era. Muito reverente, Martha saudou mãe Aninha e, principalmente a ele: "Kabiyesi Xangô, kawo kabiyesi Xangô…"

O guerreiro termina, mas não a guerra

Martha vivia num trânsito frenético entre Cachoeira e Salvador. Graças à amizade que travou com Tutu, mãe Aninha e seu pessoal, dividia-se entre a capital e a casa, no Recôncavo. Fez amizade com Juliana, uma das amigas de Tutu, e mãe Aninha, e mediante uma ajuda que fazia questão de dar, estava segura na casa dela. Comerciava em vários cantos da cidade e já estava conhecida nos lugares onde transitava, mas esse novo universo da grande capital era um campo minado. Os cantos eram lugares onde grupos de antigos escravos se reuniam para fazer ganho, ou seja, vender serviços ou produtos e dar parte da renda aos senhores. Depois da abolição, a única diferença era que não se via mais ninguém vendendo serviços ou produtos para algum senhor, mas para sustento próprio. No entanto, apesar de estarem às vésperas do século XX, algumas coisas continuavam iguais. Não tinha muito tempo ali, mas pagava tributo ao "dono do canto", o responsável pela área perante a polícia, e tinha que agradar aos capoeiras, trabalhadores como ela, mas que formavam um poder paralelo ora para enfrentar a polícia, ora para se juntar a ela, dependendo das conveniências do momento.

Ela voltava para o Recôncavo sempre com o coração apertado, sentindo uma culpa por não ter mantido as duas filhas sempre junto dela. Adônis a recriminava demais. Praticamente já não eram marido e mulher. Estava dividida entre dois mundos: o urbano de Salvador e o ainda muito rural do seu local de nascimento. Certo dia, a tarde já caía e a tempestade ameaçava desabar. Nuvens pesadas dominavam o céu. Sentia medo de embarcar com esse tempo, mas precisava retornar. Tinha que pagar seus fornecedores, e com todos aqueles pesos no peito, ela caminhava lentamente na cidade baixa, rumo ao vapor, quando ouviu uma voz de trovão chamar seu nome. Imediatamente voltou no tempo. Sentiu um arrepio percorrer seu corpo e não precisou se virar para saber: Firmino.

Estava ali diante dela o africano alto e imponente. Finalmente a idade chegara. Era um senhor de cabelos completamente brancos e com alguns vincos marcando a face. Os olhos ainda vivos, mas demonstrando o peso dos anos, afinal, era um homem de 68 anos e calejado além da conta. Foi apenas nesse instante que ela se deu conta que não o via há 20 anos. Estava trajando um terno claro distinto e trazia um chapéu em uma mão e um guarda-chuva em outra. Ele a mirava como se visse nela outra pessoa... Outras pessoas. Em seu rosto e corpo, via Ẹwà Oluwa, via Anolina, via Gowon, via Iseyn, via a África inteira. Não enxergava nela a sobrinha-neta que provavelmente tinha um pé naquela família desprezada por ele desde sempre. Rezava intimamente para que tudo não passasse de fofocas daquela gente. Nunca saberiam ao certo.

— Tio Firmino...

Ela se aproximou cerimoniosa e foi ele quem a puxou para si, abraçando-a com força e paternalmente, aninhando sua cabeça no próprio peito. Beijou sua testa. Martha recolheu suas trouxas e desistiu de retornar naquele dia. O temporal que começava a cair era uma boa desculpa para não ter embarcado de volta. Foram para uma casa numa ladeira chamada Fonte das Pedras — um local pobre, mas com uma comunidade alegre e unida, que estava em uma empolgada roda de samba quando chegaram. Ele saudou a todos com um aceno, foi respondido com sinais de cabeça respeitosos e rumou para uma casa muito pequena e modesta, mas com certo conforto para pessoas como eles. Tirou o paletó e a camisa molhados pela chuva mal contida pelo guarda-chuva que cobriu os dois. Quando ele se virou de costas para pendurar as roupas num cabideiro, ela não conseguiu conter uma exclamação de assombro. As cicatrizes salientes e escuras tomavam quase toda a extensão da pele. Eram queloides, cicatrizes de uma vida de guerras.

— Não se assuste, filha, cada uma é um troféu, e as que estão por dentro são maiores.

Ela notou que ele estava muito diferente. Estava falando um português com menos erros, parecido com o de Adônis, e se vestia sem exageros, mas com elegância. Ele contou a ela que quando chegou com Roberto a Salvador fugido de Moreno e da polícia, os dois foram recebidos por amigos do velho Theófilo, aquele que levou sua carta a Verônica após a guerra do Paraguai. Nos tempos da luta pela libertação, Theófilo se ligara aos abolicionistas da capital e tinha vários esquemas para esconder um negro que não quisesse ser encontrado. Quem fez a ponte com ele foi Verônica, com seu incrível poder de articulação e comunicação. Firmino contou que, junto com o filho, ficou quase um ano na casa de um padre chamado Samuel. Em retribuição, faziam toda sorte de serviços na propriedade do religioso, nos arredores da cidade. Cultivavam uma roça, consertavam cercas, móveis, estábulos, telhados, cuidavam dos animais e tudo o mais que aparecesse. Executavam as tarefas não porque lhes fossem exigidas, mas porque se sentiam na obrigação. Nunca receberam nada sem que dessem trabalho em troco, e não seria naquele momento que começariam.

O padre Samuel, um homem gorducho, bem-humorado e diferente de todos os padres que conheceram na vida, por seu lado mostrava estar realmente agradecido, pois a propriedade estava mesmo precisando de muitos reparos. Resolveu um belo dia que eles seriam seus alunos. Praticamente os forçou a se sentarem para as aulas, que eram diferentes do que sempre imaginaram ser uma aula. O padre pedia a opinião deles sobre algum trecho de livro que escolhia para ler. A princípio, ele e Roberto ficaram muito ressabiados. Na maioria das vezes, apenas davam de ombros ou respondiam de forma monossilábica, mas o padre tanto insistiu em dar as classes que aos poucos foram se soltando. Um dia, falou sobre o significado dos nomes, e foi aí que finalmente soube o que queria dizer o seu: Firmino.

— Seu nome vem do latim — Firmus — e quer dizer firme, constante, vigoroso. Você sabia que existiu um bárbaro com este nome e que enfrentou o Império Romano com um exército de negros mouros? Esses meus colegas que o batizaram na chegada aqui sabiam o que estavam fazendo! — E soltou uma gargalhada longa que tomou conta da sala.

E então passou a contar sobre o que eram bárbaros, mouros, Império Romano e outros detalhes. Ele e o filho achavam que o sacerdote não era deste mundo, pois se resolvesse falar de ciências ia para a beira do riacho com os dois e mostrava plantas, pedras e outros elementos naturais. Quando queria falar de astronomia, fazia os dois se deitarem no chão da varanda e observar as estrelas com uma lente enorme. Ele também queria saber tudo o que sabiam, perguntava muito sobre o que Firmino se lembrava da África, não fazia caso quando resolviam oficiar rituais nagôs em um canto mais afastado da propriedade e quase os matou de susto no dia em que chegou montado em um burrico, ao lado de Theófilo e vários homens e mulheres africanas, e entre eles — "Imagine, Martha!" —, Umbelina!

Água de barrela

Ele contou que parte daquelas pessoas estava planejando uma viagem à África. Theófilo pediu ao padre que dissesse a eles o que era necessário para conseguirem os documentos. O sacerdote nunca desperdiçava uma oportunidade de festa e resolveu usar o pequeno sítio distante justamente para isso: fazer uma reunião alegre, longe dos olhares incriminadores. Informado por Theófilo, o padre sabia das relações deles com Umbelina e entendeu que seria a oportunidade perfeita para que vissem a senhora e soubessem notícias dos seus. Estavam em 1889 e na época a polícia ainda os procurava. Martha soube que, dois anos após a visita surpresa de Roberto, na noite do aniversário de Maricota, Firmino tentou partir para a África e retornar a Iseyin. Queria beijar o solo em que sucumbiram seus pais e praticamente toda a família. Não conseguiu, mas Umbelina sim. Levou de volta a Ketu um amuleto que pertencera a Helena/Ẹwà Oluwa, que tinha guardado secretamente desde sua morte. Cumpriu uma promessa que fizera à compatriota quando não era possível vislumbrar a menor chance de concretizá-la. Voltou aliviada e feliz.

Firmino prosseguiu em seu relato. Contou que, depois da reunião no sítio do padre, começaram a tratar dos passaportes e papéis. Eles juntaram mais dinheiro. Na última hora, não foi, pois Roberto se acidentou gravemente no trabalho do sítio e as economias foram todas nos cuidados com ele. Foi obrigado a abandonar os sonhos de voltar a Iseyin, de talvez encontrar famílias de amigos de infância, recordar grande parte do que viveu naquela terra. Gostaria de ter retornado a várias cidades que conheceu nas andanças com o pai Olufemi Sangokunle, de caminhar até o monte Ado-Awaye e atar um pano branco em torno da rocha *Ishage* em agradecimento por ter sobrevivido a tantas guerras. Em sua imaginação, via-se subindo ao cume para sentir a calma emanada do lago *Iyake* e sentir o frio da rocha sob os pés, ao lado das "pegadas dos ancestrais" no Ese *awon Agba*, mas no fundo sabia que não retornaria jamais. Soube disso no dia em que viu a lua por entre as folhas das palmeiras, no embarque em Ajudá.

— Eu sei que tenho na cabeça um lugar que não existe mais... Não da forma como eu o conheci. Passou muito tempo. É um sentimento estranho. Eu não sou daqui, mas também não sou mais de lá.

Nesse ponto, ele parou e examinou Martha detidamente. Perguntou, embora soubesse a resposta:

— Você nunca sentiu isso, filha?

Martha sentiu-se mal. Estava tão concentrada em todos os seus problemas e na sua vida que não percebeu nada do que acontecia ao seu redor. Entendeu que não via Firmino há duas décadas, mas ele nunca deixou de saber dela e até mesmo de vê-la sem que percebesse. Ela nem ao menos tinha sabido que, nos meses que passou sem ver Umbelina, antes de começar a frequentar sua casa religiosa com mais assiduidade, sua avó do coração tinha retornado à África da qual saíra com 15 anos. Sabia apenas que tinha viajado, mas não procurou nem ao menos saber o destino, pois estava ocupadíssima em seu trânsito sem fim entre cidades para comerciar. Agora entendia o olhar tão recriminador de Adônis. Ele tampouco lhe dava qualquer satisfação ou informação, pois achava que ela andava obcecada com a ideia de ganhar mais, de ser mais que aqueles senhores. Até suas pulseiras, brincos e balangandãs ela mandava fazer no mesmo joalheiro. Ele achava que ela estava querendo crescer por vingança. Queria humilhar a família dos senhores por intermédio de seus sucessos. Ele dizia que a cegueira da ambição a estava consumindo, pois a estava afastando das filhas — que passaram boa parte da infância com tia Dona, Dasdô e Umbelina —, dele próprio e de todos que a amavam. Para ele, ela estava competindo da pior maneira com os brancos e nunca venceria daquele jeito no mundo deles, pois ela não era de lá, mas também não era mais daqui.

— Escute, Martha — falou Fimino, sério — Está chegando o momento de parar de guerrear.

— O que é isso? O sinhô é mais forte que todo mundo que conheço. Nunca vi um homem mais resistente!

— Você falou certo, filha... homem. Eu sou um homem feito de carne e osso. E estou chegando ao fim. Sinto isso. Não sei lhe explicar... Eu lhe procurei porque um lutador pode morrer, mas a guerra segue, e a de vocês está só começando. Quando vi vosmicê vendendo na rua, fiquei preocupado.

— Ora, preocupado com o quê? É trabalho honesto! Muita gente trabalha assim e...

Ele fez sinal para que ela se acalmasse.

— Eu sei, filha. Preciso lhe dizer que todas as coisas nessa terra têm dono. A rua também tem os seus.

Água de barrela

Se essa rua fosse minha

Passava da meia-noite quando Martha levantou-se assustada da esteira em um cômodo na casa de sinhá Juliana. No lado de fora se ouvia o som de correria e gritos. Pela fresta da janela, ela viu um homem tentando se esquivar de um adversário aparentemente muito mais hábil. Outros homens formavam uma espécie de plateia barulhenta. De repente, o que estava em vantagem parecia ter sido dominado, mas com um jeito de corpo, como se fosse feito de mola, uma ginga que pareceu impressionante à Martha, ele se desvencilhou, tomou uma pequena distância e desferiu um golpe tão potente com a cabeça na barriga do oponente que o derrubou.

O homem rolou no chão gemendo e, passados alguns minutos, silenciou. Estava morto. No centro da roda, o vitorioso, com as mãos postas na cintura e ar de superioridade, olhava com desprezo o inimigo caído ao chão. O olhar frio do vencedor fez um arrepio percorrer a espinha de Martha. Juliana se juntou a ela, querendo ver o que estava acontecendo. Pôs as mãos na boca, sufocando uma exclamação. Sussurrou para Martha.

— João Gulodice!

Diante da expressão de interrogação que Martha fez, Juliana arregalou os olhos e praticamente a obrigou a se deitar. Deitadas, ela contou em voz muito baixa histórias que envolviam aquele personagem, capoeira dos mais temidos. Contou um jogo de horas que viu entre João e *Tripas ao Sol*, outro valentão da área. Falou sobre as maltas de meninos que andavam pela área aprendendo com os capoeiras mais velhos e de como a polícia era tão ou mais violenta.

— Se cruzar com esses homi na rua, Marthinha, nem olhe! Tá ouvindo, minina? Não se meta a besta!

Em Salvador, desde sempre a rua era negra. A esmagadora maioria da minoritária população branca usava o espaço público para se deslocar de um ponto a outro, mas os negros, ao contrário, faziam dela praticamente a sua casa. Durante o dia, dominavam as ganhadeiras, estivadores, pescadores, operários diversos. Um vozerio, um vaivém, uma oferta de quase tudo. Mingaus e bolos de manhã cedo, arroz de hauçá, abebé e outros quitutes às 12 horas, e quando a noite caía — Ah, quando manto da noite descia! —, o terreno era dos capoeiras, das "mulheres da vida", dos malandros, dos boêmios, dos marinheiros, do jogo de corpo, das mandingas e navalhas. Um batuque, uma roda, uma festa, uma briga, uma faca e, não raro, sangue. A rua também era o local dos feitiços... e da perseguição implacável da polícia.

Àquela altura, com o século XX batendo à porta, a elite da cidade — assim como a de outros estados no país — estava interessada em fazer com que ela estivesse cada vez mais perto da Europa e mais longe da África. Não é preciso dizer que tudo aquilo era abominado pelos ricos como a mais pura expressão da barbárie e do atraso. Queriam mudar a cor predominante da rua. Estivadores, meninos, peixeiros, sapateiros, outros prestadores de serviço "ociosos" na praça, Martha, Tutu e outras, com seus tabuleiros, eram uma ameaça. Ameaçavam o futuro de progresso pretendido, mas João Gulodice e outros como ele, na mente dos que mandavam, não eram ameaça. Eles eram a certeza absoluta da violência mais primitiva e que era preciso reprimir.

Vinte distritos de paz ou freguesias dividiam Salvador. Alertada por Firmino e pelo pessoal de mãe Aninha, Martha decidiu ficar mesmo na freguesia da Penha, na região da Praia da Ribeira e da Igreja do Bonfim, menos visada pelos capoeiras. No entanto, ela não escapou de ter histórias para contar. A casa de mãe Aninha ficava na freguesia do Paço, na Baixa do Sapateiro — a terceira região mais quente das confusões com os capoeiras, ao lado das freguesias do Pilar e da Sé. Na verdade esses três lugares — Baixa do Sapateiro, Pilar e Sé — eram todos muito próximos. Uma janela da casa de Juliana dava para o Largo de São Miguel, onde viram pelas frestas a morte provocada por João Gulodice.

Certa vez, iam Martha e Tutu subindo a ladeira do Tabuão, vindas do Cais Dourado. Tinham acabado de comprar alguns itens no cais para o preparo dos doces e outros artigos que vendiam. Ali existia o Mercado do Ouro, onde costumavam comprar farinha de mandioca e açúcar em quantidade. A ladeira ligava o cais à Baixa do Sapateiro, onde ficava o sobrado de sinhá Juliana, e era apinhada de lojas, ambulantes, restaurantes e botecos. As duas levavam suas sacolas e os tabuleiros na cabeça já apressadas, pois se